指歷

YUKIKO IRWIN & J. WAGENVOORD

l'Acupuncture sans aiguilles

par le massage japonais (Shiatzu)

illustrations de Raymond Burns

 éditions du jour

5705 est, rue Sherbrooke, Montréal

Dans la même collection:
● Le Corps bafoué par Dr Alexander Lowen
● Touchez-moi s'il vous plaît par J. Howard

Publié au Canada par les Éditions du Jour Inc.
5705 est, rue Sherbrooke, Montréal, Qué.
ISBN-0-7760-0737-8
Dépôt légal 1er semestre 1977
Bibliothèque nationale du Québec.
Imprimé au Canada

Ce livre a été publié pour la première fois aux Etats-Unis
par J.B. Lippincott Company, sous le titre

SHIATZU

VITALITY AND RELIEF FROM TENSION AND PAIN

Photo de couverture : Babout-Rapho

A la mémoire de ma famille,
qui a jeté un pont
entre l'Orient et l'Occident.

SOMMAIRE

Avant-propos du Dr Dorothea Kerr 11
Remerciements 13

PREMIÈRE PARTIE

L'acupuncture sans aigilles (Shiatzu) pour conserver santé et vitalité.

1. Ce qu'est le Shiatzu, pourquoi il agit 17
2. Le toucher 25
3. Le Shiatzu pour la jeunesse de la peau 31
4. Le Shiatzu pour la vigueur sexuelle 57
5. Comment réaliser une expérience shiatzu complète sur soi-même 71
6. Comment donner un traitement sur tout le corps de votre partenaire 99

DEUXIÈME PARTIE

L'acupuncture sans aiguilles (Shiatzu) pour remédier aux troubles fonctionnels.

7. L'insomnie 135
8. Les maux de tête 161
9. Le torticolis et les douleurs d'épaules 185
10. Les douleurs de la région lombaire 201
11. Constipation et diarrhée 213
12. La tendinite du coude 231
    Postface 255

AVANT-PROPOS

En ma qualité de médecin et de psychiatre, j'ai dirigé de nombreux patients sur l'acupuncture sans aiguilles, appelée « Shiatzu » en japonais. Elle s'est révélée un adjuvant efficace dans les désordres causés par des tensions diverses, pouvant aller d'états émotionnels simples à des maladies telles que douleurs de l'épaule et de la région lombaire, migraines ou légère hypertension.

Les sensations éprouvées sont difficiles à décrire, mais elles ressemblent à celles que provoque une légère hypnose. On a nettement l'impression de travailler avec le corps plutôt que de lui *imposer* quelque chose, ce qui peut arriver avec les médicaments et nombre de procédés techniques.

En traitant tous les syndromes de tension, on recherche les moyens d'aider le patient à se détendre, à se laisser aller. Dans ce dessein, j'emploie diverses méthodes, dont les médicaments, l'hypnose, l'exercice, aussi bien que le massage médical. A mon avis, le Shiatzu offre un type de massage médical préférable à d'autres, parce qu'il amène une relaxation très profonde, grâce à la douceur de son action sur les états physiques et mentaux. Comme traitement des tensions dont nous souffrons aujourd'hui, un secours efficace comme celui du Shiatzu est tout à fait bienvenu.

Dr Dorothea Kerr,
Professeur assistant de psychiatrie
à la faculté de médecine de Cornell University,
Psychiatre assistant en exercice,
Clinique Payne Whitney,
Hôpital de New York.

REMERCIEMENTS

Je dois une profonde reconnaissance, égale à l'admiration que je lui porte, à Geneviève Young, sans laquelle ce livre n'aurait pu voir le jour.

J'ai aussi une dette envers Rebekah Harkness, qui m'a aidée à faire mes débuts de praticien dans l'Ouest.

J'ai une gratitude particulière à l'égard de Aaron Frosh, qui m'a fait bénéficier amicalement de ses conseils de juriste.

Un tribut tout spécial à Martha Pate, docteur en médecine, qui m'a offert sa maison de campagne pour me permettre d'y travailler dans la paix et dans le calme.

J'ai hautement apprécié l'aide de Kengo Minato, Jane Hsueh et Maimie Lee, leurs encouragements incessants et leurs témoignages d'amitié.

PREMIÈRE PARTIE

L'acupuncture sans aiguilles (Shiatzu) pour conserver santé et vitalité *

---

* *L'éditeur est parfaitement conscient du fait que l'expression « Acupuncture sans aiguilles » peut être considérée comme une image hardie. Mais, au risque de déplaire à quelques puristes, il a préféré utiliser une formule qui a le mérite d'être facilement perçue.*

CHAPITRE I

Ce qu'est le Shiatzu, pourquoi il agit

Vous plairait-il d'avoir plus d'énergie et de vitalité ?

Aimeriez-vous gagner en sérénité ?

Aimeriez-vous vous libérer des souffrances causées par des maux tels que les migraines, les douleurs lombaires, la constipation ou la tendinite ?

Aimeriez-vous avoir une vie sexuelle plus intense ?

Aimeriez-vous paraître plus jeune ?

Si vous répondez « oui » à chacune de ces questions, et j'imagine mal celle ou celui qui répondrait « non », je vous conseille d'adopter l'acupuncture sans aiguilles (Shiatzu). J'estime qu'elle devrait tenir une place importante dans votre vie. Elle peut contribuer rapidement à vous relaxer, à vous sentir plus en forme, à vous rendre plus jeune et plus énergique.

Shiatzu est un mot dérivé du japonais *shi,* qui signifie « doigt », et *atzu,* « pression ». C'est un art précieux pour maintenir le corps en bonne santé, l'aboutissement de quatre mille ans de médecine, de thérapie et de philosophie orientales.

Il est entré au cœur de ma vie lorsque, jeune fille, j'ai fait connaissance à Tokyo, vers la fin des années quarante, d'un thérapeute shiatzu. C'était un homme assez âgé, qui venait traiter ma tante pour des maux de tête qui l'épuisaient, et dont elle souffrait depuis des mois. Après l'avoir examinée, il conclut que les contraintes de sa vie professionnelle ajoutées à celles de sa vie de femme avaient provoqué les tensions physiologiques et psychologiques qui en étaient le douloureux prolongement. Il affirma qu'en pratiquant le Shiatzu il relâcherait les muscles trop tendus, éliminerait la tension et aiderait le sang à mieux irriguer le corps tout entier. Et, au terme de plusieurs mois de thérapie shiatzu intensive, les maux de tête disparaissaient pour ne plus revenir. Durant toute cette période, je me pris d'un vif intérêt pour l'art du Shiatzu, et le thérapeute m'engagea à suivre son enseignement. J'étais profondément impressionnée par son savoir-faire, sa sincérité et le calme serein qui émanait de lui. Je désirais transposer toute cette expérience acquise sur moi-même. Après avoir étudié avec lui, et sur ses conseils, je suivis les cours de l'Ecole japonaise de Shiatzu pendant deux ans. Diplômée, je fus accréditée par le ministère japonais de la Santé.

Depuis mon arrivée aux Etats-Unis, je me suis efforcée d'être efficace en travaillant en liaison étroite avec plusieurs médecins de New York. J'ai été attachée aussi en qualité de thérapeute auprès d'une compagnie de ballets.

Je vous offre à présent mes idées et mes connaissances pour vous permettre d'acquérir les techniques de base du Shiatzu, afin que vous puissiez en apprendre les éléments fondamentaux pour vous soigner vous-même et pour soigner les autres. Au cours des pages qui vont suivre, je vous apprendrai à vous garder en bonne santé, à bénéficier des pratiques du Shiatzu et à soigner les simples douleurs et les tensions qui sont notre lot quotidien.

Mais je ne saurais trop insister sur le fait que ce livre est destiné aux profanes, et non aux personnes qui désirent acquérir une connaissance approfondie du Shiatzu pour l'exercer en professionnels. De telles études impliquent l'acquisition d'une technique avancée et de connaissances qui dépassent les limites d'un seul ouvrage. Un travail tel que celui que je fournis en ma qualité de professionnelle exige un entraînement intensif et doit être conduit sous la surveillance de médecins. Le médecin établit son diagnostic et le thérapeute professionnel traite le patient en accord étroit avec son médecin.

Bien que le Shiatzu soit connu et pratiqué dans tout le Japon, il est demeuré virtuellement ignoré en Occident jusqu'à ce que l'acupuncture commence à retenir l'attention d'un vaste public. L'acupuncture utilise des aiguilles enfoncées aux points clés du corps. L'art du Shiatzu est basé sur ces mêmes points clés du corps, mais, au lieu d'y enfoncer des aiguilles, on exerce une pression sur lesdits points à l'aide des pouces, des autres doigts et des paumes. Je le décris souvent sous le terme d' «acupression ». Pour initier le lecteur à cet art d'entretenir et d'embellir la vie, la meilleure façon est d'en examiner brièvement les origines : elles remontent à l'ancienne philosophie de l'Orient, au concept de l'Unité.

Par Unité, on entend que la vie de l'univers et celle de l'individu participent d'une même essence et proviennent des mêmes principes. D'après les philosophes orientaux, et depuis les temps les plus anciens, toute existence, toute chose de l'univers et l'univers lui-même obéissent au même cycle de vie. Le *Yin* et le *Yang* sont les forces qui s'opposent dans l'univers, et il convient d'en maintenir l'équilibre si l'on veut atteindre à l'Unité.

Yin est la force négative, le « moins ». Yang est positif. La Lune relève du Yin, le Soleil du Yang. La nuit est yin, le jour yang ; l'eau est yin, le feu yang. A l'intérieur de ce concept du Yin et du Yang, il n'y a pas d'absolus, et l'on croit qu'en dépit de leur opposition ces forces sont aussi en harmonie. L'homme, par exemple, est yang, par opposition à la femme, yin. Mais, puisque yin n'est pas plus absolu que yang, chacun contient l'autre et tout est fait à la fois de yin et de yang. Les hommes et les femmes ont l'un comme l'autre des hormones mâles et des hormones femelles.

On pense également que les forces yin et yang ne sont pas statiques ; qu'elles changent constamment, et un excès de yin devient yang, de même qu'un excès de yang devient yin. Lorsque l'eau (yin) gèle (yin), elle se change en glace, qui est yang.

Dès l'origine, la médecine orientale a établi des rapports étroits avec la philosophie de l'Unité et le concept des forces yin et yang, tant dans l'environnement que dans le corps lui-même. D'où la conviction que la santé ne s'altérait que lorsque l'équilibre entre Yin et Yang était rompu. Il s'agissait, dès lors, de prévenir pour guérir, de maintenir l'harmonie du corps. Toutefois, si cette harmonie se déséquilibrait, il fallait la restaurer. Cette attitude privilégiant la prévention s'est transmise à travers les temps jusqu'au Shiatzu, dont le but initial est de maintenir la santé et l'harmonie du corps.

Les guérisseurs et les philosophes de l'ancienne Chine étudiaient inlassablement les maux de l'homme. Le système qui s'est greffé sur ces études était fort différent de celui que la médecine occidentale moderne a élaboré à quelques siècles de distance. L'approche des Orientaux reste empirique : leurs pratiques se fondent sur l'expérience et sur l'observation. Les Sages chinois ont observé que certaines maladies affectaient certains points précis à la surface du corps : divers points devenaient brûlants, chauds, engourdis, durcis, douloureux, huileux, secs, décolorés ou marqués de taches. Ils purent ainsi localiser 657 points de grande sensibilité sur le corps et remarquer que plusieurs de ces points se reliaient entre eux. Agissant comme des cartographes médicaux, ils établirent une charte des lignes reliant des points et déterminèrent les douze voies, ou « méridiens », reliant entre eux les points sur chaque moitié du corps. Outre ces douze couples de méridiens corporels, ils tracèrent deux méridiens de coordination à la moitié du corps. L'un d'eux, appelé « le méridien de la conception », part de la base du tronc, monte au milieu de l'abdomen, de la poitrine et se termine sur un point situé sur le milieu de la mâchoire inférieure. Le second, « méridien régulateur », commence au milieu de la gencive supérieure, remonte vers le crâne qu'il traverse en une médiane pour descendre le long de l'épine dorsale et finir à la base du coccyx. C'est parce que les organes sexuels se situent sur sa ligne que le méridien de la conception fut baptisé ainsi. Il agit principalement sur l'énergie Yin. Le méridien régulateur reçut ce nom en raison de l'extrême importance de la colonne vertébrale, pilier principal du corps. Il agit surtout sur l'énergie Yang. Ces deux lignes méridiennes, bissectrices, gouvernent la force énergétique qui circule constamment à travers les vingt-quatre méridiens, du corps. Par interconnection, ces vingt-quatre méridiens, ou voies de communication, forment le système énergétique qui garde le corps sain.

La précision des observations relevées par ces Sages se vérifia lorsque la médecine occidentale découvrit les divers réseaux des systèmes circulatoire et nerveux, le système endocrinien, celui de la reproduction, etc.

Les Sages des temps anciens croyaient que les méridiens servaient de passages conducteurs au travers desquels circulait l'énergie de l'univers pour se répandre dans tout l'organisme, maintenant ainsi le corps et l'univers en harmonie. Selon leur les vingt-quatre méridiens du corps. Par interconnection, ces « conduits » se trouvaient bloqués, ce qui provoquait la rupture de l'harmonie du corps, le flux énergétique ne passant plus. En enfonçant dans le corps des aiguilles d'une extrême finesse aux points déterminés sur les méridiens et sur les points qu'ils relient, ils pensaient parvenir à supprimer le blocage et à restaurer la puissance d'énergie initiale. Ils croyaient également que des soins périodiques permettraient aux sujets bien portants de conserver intact leur flux d'énergie et d'éviter la maladie. Ce sont ces conceptions qui donnèrent naissance à la science de l'acupuncture.

Au cours des années, l'acupuncture a pris rang de discipline médicale sophistiquée, toujours fondée sur les concepts anciens, c'est-à-dire sur la nécessité de maintenir un équilibre entre toutes les régions du corps humain, au-dedans comme au-dehors, d'où l'importance de l'environnement extérieur.

L'acupuncture chinoise pénétra au Japon voici treize cents ans. Le Shiatzu s'y développa au XVIIIᵉ siècle, combinant l'acupuncture et la pratique *amma* du massage oriental traditionnel. *Am* (pression), *ma* (caresse) consistait à exercer simplement des pressions et des frictions sur les parties douloureuses du corps à l'aide des doigts et des paumes des mains. On avait établi que

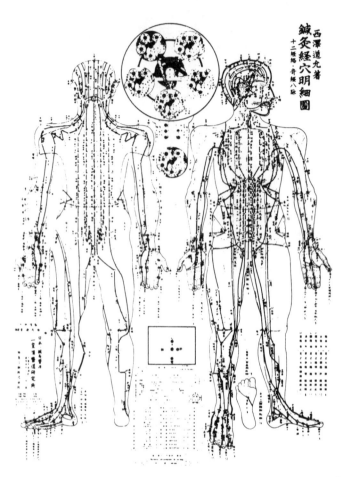

la pression directe des pouces et des doigts sur les points méridiens de l'acupuncture permettait d'obtenir les mêmes résultats.
Ces points sont, en effet, les écluses qui, stimulées par la pression directe, favorisent le courant des systèmes d'énergie.

On considère cette innovation comme étant à l'origine du
Shiatzu tel que nous le connaissons aujourd'hui, bien qu'il ait
fallu près de deux cents ans pour que ce mot, dans les années
vingt, entre dans la langue japonaise. On compte actuellement
plus de vingt mille thérapeutes shiatzu autorisés au Japon, et
cet art est devenu lui-même d'une pratique courante dans la
vie japonaise.

Malgré sa ressemblance étroite avec l'acupuncture et l'ana-
logie de leurs effets, je préfère de beaucoup le Shiatzu en tant
que discipline individuelle pour les sujets jouissant d'une santé

normale. L'acupuncture est essentiellement une façon de soigner les maladies, tandis que la fonction principale du Shiatzu est de maintenir santé et équilibre, encore qu'il puisse aussi triompher de nombreuses maladies et états douloureux.

Le Shiatzu ne présente aucun des risques d'infection ou de choc inhérents à la thérapie par l'acupuncture. Alors qu'une personne sans qualification ne saurait pratiquer l'acupuncture, n'importe qui, virtuellement, peut assimiler les techniques de base du Shiatzu. Et on peut l'appliquer sur soi-même sans difficultés.

Il est cependant indispensable de prévenir les personnes qui apprennent à pratiquer le Shiatzu, ou à se faire soigner selon ce principe, qu'il ne faut jamais intervenir sur quiconque se trouve en proie à la fièvre ou atteint d'infection, ou souffrant de désordres organiques internes, ou sujet aux hémorragies internes que provoquent notamment les ulcères de l'estomac et du duodénum, ou encore s'il y a fracture osseuse.

Que vous soyez homme ou femme, le Shiatzu peut de toute façon embellir votre vie. Sa pratique conduite avec intelligence et persévérance, associée à un régime convenable et à l'exercice physique, vous donnera les résultats que vous en espérez. Vos muscles se détendront, vos douleurs s'apaiseront, les tensions nerveuses diminueront. Tirez-en profit. Et vous découvrirez que le poète de l'Antiquité qui disait *mens sana in corpore sano* — ce que je traduis librement par « les idées saines et la vitalité naissent d'un corps sain » — avait raison.

CHAPITRE II

Le toucher

La philosophie fondamentale de ma pratique du Shiatzu se résume en un mot : donner. On « donne » pour soulager les souffrances, pour aider nos semblables à se sentir mieux.

Nous trouvons tout naturel d'avoir des mains et des doigts, sans penser qu'ils peuvent nous servir de moyens de communiquer et d'instruments pour calmer la douleur. Quand les gens sont amoureux, ils se prennent par la main, éprouvent le besoin de se toucher. Quand on souffre, les mains se portent aussitôt à la région douloureuse. Ne faire qu'un avec ses mains est l'essence même du Shiatzu. Que vous le pratiquiez sur un partenaire ou sur vous-même, ce sont vos mains qui transmettent votre énergie vitale, dont elles sont l'exutoire.

Les pouces, les autres doigts et les paumes des mains agissent spécifiquement dans le Shiatzu, mais ils ne servent que d'exutoire à votre fluide vital, à votre énergie. En fait, votre corps tout entier entre en action dans le Shiatzu, concentrant au bout de vos doigts toute votre charge vitale et la conscience que vous en avez.

Lorsque vous traitez quelqu'un au Shiatzu, vous acquérez rapidement la capacité de savoir quel degré de pression il vous faut exercer. Plus vous sentez de résistance, plus vous devez appuyer.

Un moyen de se familiariser avec les différents degrés de pression consiste à s'exercer sur une balance pèse-personnes. Posez le plat du pouce ou l'extrémité des deux pouces sur la balance. Raidissez les bras et pressez bien droit, le poids du corps portant sur vos bras, jusqu'à ce que la balance indique près de 10 kg. Ceci correspond à la pression maximale, celle qui doit être appliquée aux parties les plus fortement musclées du corps. Comptez jusqu'à trois, retirez les pouces de la balance, marquez un temps d'arrêt, puis pressez de nouveau en comptant jusqu'à trois. Recommencez jusqu'à ce que vous soyez familiarisé avec le degré de pression qu'il convient d'exercer pour atteindre la force désirable. Faites le même exercice pour que la balance accuse 7 kg, puis 5 kg. La pression qui convient le mieux pour la tête et l'estomac est de 7 kg. Pour le devant et les côtés du cou, comme pour le bas de l'abdomen, le degré de pression à respecter est de 5 kg ou, mieux, de 4,5 kg.

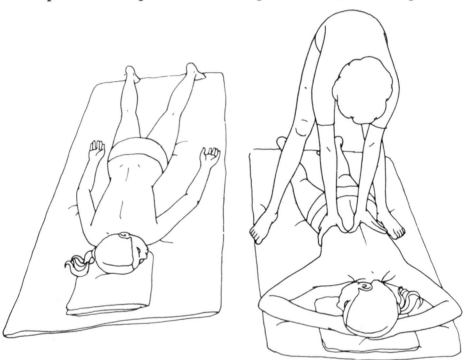

LE SHIATZU SUR UN PARTENAIRE

Le seul équipement nécessaire pour traiter quelqu'un selon le Shiatzu se compose d'une couverture, d'une serviette ou d'un coussin peu rembourré, du sol ou d'un lit. Je préfère le sol au lit ou à la table de massage. J'ai ainsi une plus grande liberté de mouvement pour travailler la tête, les côtés et les pieds.

On peut remplacer le lit (ou matelas peu épais) en repliant en trois une ou deux couvertures dans le sens de la longueur et en les étendant à terre. Les coussins peu épais étant rares dans la plupart des maisons, on prendra une serviette de bain repliée plusieurs fois et offrant un appuie-tête de 5 cm d'épaisseur environ, qui servira à votre partenaire pour y poser la tête quand elle — ou il — devra s'allonger à plat ventre, ou la nuque lorsque vous lui demanderez de se coucher sur le dos.

Il est important de tenir vos bras bien tendus quand vous exercez des pressions sur votre partenaire. Le poids qui donne leur force à vos doigts devrait se centrer sur votre dos et vos épaules, de sorte que le contact sur les points soumis à la pression soit aussi direct et concentré que possible. Cette obligation commande d'ailleurs la posture que vous devez adopter.

Par exemple, pour agir sur la colonne vertébrale, il vous faut chevaucher votre partenaire, vos bras restant autant que possible perpendiculaires à sa colonne vertébrale. Si cette attitude devient pénible, agenouillez-vous à côté de votre partenaire et inclinez le buste au-dessus de la région sur laquelle vous concentrez vos pressions.

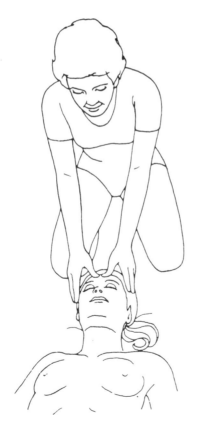

Lorsque vous donnez un Shiatzu à la tête, aux bras et aux jambes, préférez la position à genoux. Mais en gardant les bras bien tendus et en vous servant du poids et de l'équilibre de vos épaules et du haut du dos.

Voici trois méthodes de base permettant de pratiquer le « toucher » shiatzu.

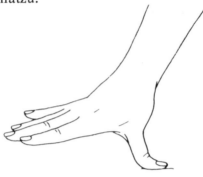

UN SEUL POUCE

La méthode la plus fréquemment employée est une pression directe effectuée par le bout charnu du pouce. Représentez-vous que le point de contact se trouve au milieu de cette partie du pouce, exactement derrière la base de l'ongle. Ne soyez pas surpris si lors de vos premiers essais vous ressentez une légère douleur dans le pouce. Comme pour tout acte physique, un entraînement s'impose. Mais l'accoutumance se fait rapidement.

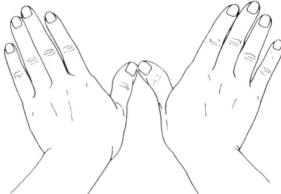

LES DEUX POUCES COTE A COTE

Pour exercer une pression sur les parties qui requièrent un contact plus large, près de la colonne vertébrale, par exemple, il faut se servir des deux pouces. Réunis aux extrémités, ils doivent former un angle d'environ 45 degrés. La double pression des pouces se pratique également sur le haut de la tête, sur le dos et sur les côtés des jambes et des bras.

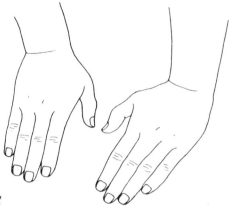

LES PAUMES

Une pression exercée par les paumes bien à plat constitue une excellente méthode convenant aux parties les plus larges du bas du dos, au thorax et à l'abdomen. La pression doit être centrée au milieu des mains, et les doigts comme les paumes doivent rester également en contact avec votre partenaire.

Au cours des chapitres qui vont suivre, je préciserai chaque fois quelle est celle de ces trois méthodes qui s'applique pour chaque partie du corps.

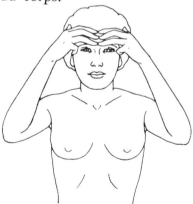

LE SHIATZU SUR VOUS-MÊME

Pour un maximum d'efficacité, choisissez la position assise, sur une chaise ou à même le sol. Vous ne pourrez travailler à bras tendus que sur vos jambes et vos pieds. Cependant, veillez

à ce que vos coudes soient sur le même plan que la direction de la pression que vous exercerez avec tout l'avant-bras. Lorsque vous pressez le haut du front ou les tempes, vos coudes doivent pointer en dehors.

Dans l'auto-Shiatzu, on pratique souvent la pression d'un seul pouce et des pouces jumelés. La méthode la plus fréquemment utilisée combine deux ou trois doigts.

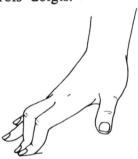

LES DOIGTS JUMELÉS

Utiliser deux ou trois doigts à la fois constitue la méthode la plus facile pour faire des pressions sur soi-même. Elle vous permet d'agir sur le dos et les épaules. Elle augmente aussi la surface traitée. Les doigts doivent être courbés et le contact s'opère par la partie arrondie qui termine le doigt, et non par l'extrémité.

En pratiquant le Shiatzu sur vous-même, vous ne tarderez pas à découvrir comment obtenir le maximum d'effet de votre toucher. En le pratiquant avec un — ou une — partenaire, il faut faire un travail d'équipe : vous devez vous mettre à l'unisson des réactions de l'autre. Un soupir, un gémissement vous avertiront mieux que des mots, et vos mains vous procureront la précieuse récompense spirituelle du don que vous faites de votre flux d'énergie.

CHAPITRE III

Le Shiatzu pour la jeunesse de la peau

En améliorant la coloration et la texture de votre peau, le Shiatzu vous fera paraître plus jeune. Toutes les personnes que je traite régulièrement et à fond obtiennent du Shiatzu un net embellissement. Je pense qu'il faut l'attribuer à la faculté du Shiatzu de stimuler la circulation du sang et d'améliorer le tonus musculaire.

Dans la médecine orientale, on considère qu'une jolie couleur de peau reflète un excellent état général, résultant de l'unité du corps. En ouvrant les méridiens et les courants d'énergie, en facilitant la circulation, le Shiatzu agit efficacement sur la beauté de la peau.

Les facteurs spécifiques qui contribuent à l'éclat du teint sont reconnus aussi bien par l'Orient que par l'Occident : bonne circulation sanguine, tonus musculaire, équilibre hormonal (particulièrement en ce qui concerne l'œstrogène), sommeil normal.

Les exercices que je recommande pour l'embellissement du teint ne prennent guère qu'une dizaine de minutes par jour. Pour obtenir des résultats excellents, et durables, il serait bon de les faire au moins quatre fois par semaine. Vous pourrez d'ailleurs constater et éprouver les premiers effets du traitement en une quinzaine de jours. Mes exercices dénouent la tension musculaire, gardent à la peau son humidité et activent la circulation au niveau du cou et du visage. Ils se pratiquent sur le bas du dos, sur l'abdomen, les chevilles, les pieds, le cou et le visage.

Pour un Shiatzu destiné aux soins spécifiques de la peau, je commence toujours par le bas du dos. A cet endroit, le Shiatzu allège la tension musculaire et opère en stimulant les glandes surrénales et les organes génitaux. Il contribue aussi au maintien d'un bon équilibre hormonal.

Je passe ensuite à l'abdomen pour agir sur la circulation générale. Sur l'abdomen, le Shiatzu améliore également le fonctionnement du foie, de l'estomac et des intestins.

Vient ensuite le tour des chevilles et des pieds. Ceci est important, car une bonne circulation dans ces régions, les plus éloignées du cœur, intervient notablement sur l'ensemble du système circulatoire dont elle accentue l'efficacité. De plus, le Shiatzu sur la plante des pieds contribue à la détente du corps tout entier et, ceci a son importance, il procure une sensation extrêmement agréable.

Pour finir, je passe au visage et au cou. Des pressions peu appuyées permettent de rendre aux muscles faciaux leur tonus, et de faire affluer le sang dans les cellules sensibles qui forment les différentes couches de la peau du visage. La médecine orientale dénomme « Fontaine de beauté et de jouvence » ce que nous appelons plus prosaïquement le cou.

Des pressions shiatzu sur le devant et les côtés de la gorge et du cou contribuent à garder leur élasticité aux artères et aux veines les plus importantes. Elles stimulent en même temps une bonne irrigation sanguine du cerveau et du visage.

A mon avis, le meilleur moment pour pratiquer le Shiatzu sur le visage est le matin, alors que vous vous préparez pour la journée. Toutefois, si votre programme vous en empêche, vous obtiendrez les mêmes résultats en faisant vos pressions à votre convenance. L'important est de bien suivre l'ordre indiqué.

Il est probable que vous n'éprouverez aucune difficulté à pratiquer cette version du Shiatzu sur vous-même. Je décris pareillement en détail une série d'exercices à faire sur votre partenaire, car sans vouloir minimiser les effets du Shiatzu par soi-même, il est plus agréable d'avoir un ou une partenaire pour faire les pressions sur vous.

LE SHIATZU PAR VOUS-MÊME POUR LE TEINT

Ces exercices peuvent se faire en position assise, ou sur une chaise ou à terre. Je préfère la chaise, qui permet une meilleure relaxation des jambes.

Le bas du dos

Rejetez vos bras en arrière et posez le pouce droit à trois doigts de distance du milieu de l'épine dorsale au niveau des lombaires (milieu du bas du dos), aussi haut que vous pourrez, tout en gardant assez de force pour exercer une pression maximale (9 kg). Même chose avec le pouce gauche.

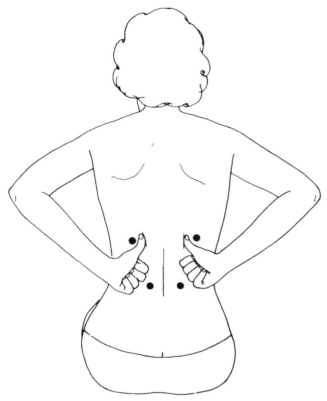

1. Pressez fortement (9 kg) durant trois secondes sur les deux points. Repos.

2. Vos pouces descendent sur une même ligne à mi-chemin de la taille. Même pression intense (9 kg). Repos.

3. Abaissez vos pouces jusqu'à la taille, en les maintenant à trois doigts de l'épine dorsale. Nouvelle pression profonde. Repos.

4. Remettre les pouces au point de départ. Les éloigner à cinq doigts du milieu de la colonne vertébrale. Pression intense (9 kg) de trois secondes. Repos.

5. Descendre à mi-chemin de la taille. Nouvelle pression forte et repos.

6. Déplacer les pouces jusqu'à la taille et exercer une pression intense.

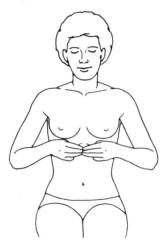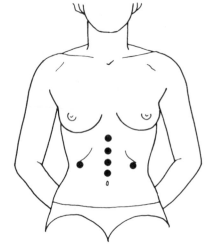

Le haut de l'abdomen

Sur la partie supérieure de l'abdomen, six points composent une croix imaginaire. Les quatre premiers s'alignent sur le méridien de la conception, ligne verticale qui forme une bissectrice entre l'estomac et le bas de la cage thoracique au-dessus du nombril. Les deux derniers points se situent au-dessous de la cage thoracique, sur une ligne qui part entre les seins.

1. Réunir l'index, le médius et l'annulaire des deux mains et les placer côte à côte sur le premier point, c'est-à-dire sous le milieu de la cage thoracique. Pression modérée (7 kg environ) des deux mains durant trois secondes. Repos.

2. Descendre de trois doigts en direction du nombril. Recommencer la même pression modérée des deux mains, trois secondes. Repos.

3. Descendre encore de trois doigts. Même pression. Repos.

4. Descendre encore de trois doigts pour arriver juste au-dessus du nombril. Pression modérée, trois secondes. Repos.

5. Séparez les mains et pressez simultanément sur les deux points situés sous la cage thoracique, en vous servant des trois doigts réunis de chaque main. Pression modérée de trois secondes.

Les chevilles

Posez le pied droit sur le sol. Penchez-vous en avant pour atteindre la cheville. Posez le pouce droit sur l'extérieur de la cheville au-dessus de la cavité creusée entre le tendon d'Achille et l'os de la cheville. Mettez le pouce gauche sur le point correspondant à l'intérieur de la cheville, puis entourez le devant de la cheville de vos autres doigts.

1. Pression modérée (7 kg) des deux pouces. Trois secondes. Pause.

2. Déplacez vos pouces vers le bas, le long du tendon d'Achille, pour exercer la même pression des deux pouces, dans la cavité creusée entre la cheville et le tendon d'Achille. Pause.

3. Descendez jusqu'au-dessus du talon et répétez la pression modérée avec les deux pouces.

4. Même séquence sur la cheville gauche.

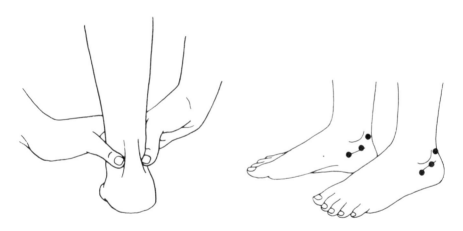

La plante des pieds

Installez votre jambe droite sur le genou gauche, de façon à pouvoir tenir votre pied des deux mains et presser les points de la plante du pied à l'aide des deux pouces dont les bouts se toucheront. Les trois premiers points sur lesquels exercer une pression se situent sur une ligne qui partage le pied du talon aux doigts de pied. Le dernier est à l'extrémité arrière de la voûte plantaire, sur le coin extérieur droit du talon, au-dessus et légèrement distant du premier point.

1. Entourez le pied des deux mains, et posez vos pouces l'un à côté de l'autre exactement devant le milieu du renflement du talon. Donnez une pression intense (9 kg) de trois secondes. Repos.

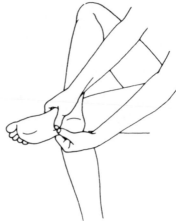

2. Amenez les pouces à la partie la plus étroite du pied. Même pression. Repos.

3. Atteignez le point situé derrière la plante du pied. Répétez la même pression. Repos.

4. Remontez à l'intérieur de la voûte plantaire et posez les pouces sur le quatrième point. Pression intense de trois secondes.

5. Recommencez toute cette séquence sur le pied gauche après l'avoir installé sur le genou droit.

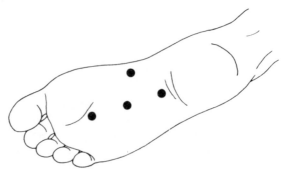

Le front

Au cours de cette séquence, le bout des doigts restera perpendiculaire au front, et les mains se déplaceront du milieu du front vers les tempes.

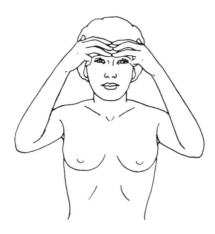

1. Toucher du bout des deux index réunis, là où se trouve (quand on en a une) la « pointe des veuves », au milieu du front, sous la racine des cheveux, le point à presser. Les bouts de vos médius se rejoignent au milieu du front, et les annulaires doivent arriver juste au-dessus des sourcils.

2. Pression modérée (7 kg) des trois doigts, les deux mains opérant simultanément. Trois secondes. Pause. Répéter trois fois cette pression.

3. Séparer les doigts et les porter sur les points qui vont de la chevelure au milieu des sourcils. Pression modérée et simultanée des deux mains. Trois secondes. Arrêt. Recommencer deux fois.

4. Les mains se portent sur les points situés entre la racine des cheveux et l'extrémité des sourcils. Pression modérée de tous les doigts à la fois, durant trois secondes. Repos. Recommencer trois fois.

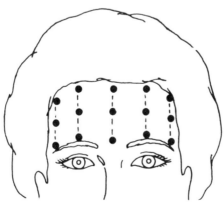

Les yeux

Les points qui entourent les yeux se situent sur les bords internes des orbites. Servez-vous des index, médius et annulaires des deux mains — la main gauche pour l'œil gauche, et la droite pour l'œil droit. Traitez les deux yeux simultanément et, si vous portez des lentilles de contact, ayez soin de les retirer avant de commencer.

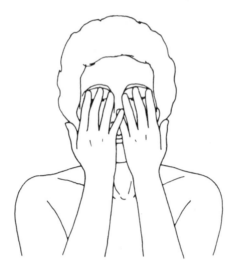

1. Ecartez légèrement les doigts et posez les bouts au long du bord supérieur de l'orbite, l'annulaire de chaque main aussi près du nez que possible. Les doigts effleurant les paupières fermées, pressez légèrement (4 kg environ) sur l'arête de l'orbite.

2. Abaissez un peu les doigts, le bout charnu de l'extrémité reposant sur vos paupières fermées. Trois secondes de faible pression (de 1 kg à 1,5 kg). Repos.

3. Recourbez légèrement les doigts, pressez le bord intérieur du bas de l'orbite. Trois secondes de pression modérée (4,5 kg).

Le nez

Posez l'extrémité charnue du médius de chaque main sur l'ongle de l'index. Appuyez simultanément sur les points correspondants des deux côtés du nez.

1. Posez les doigts de la main droite sur la droite du nez, là où il rejoint l'os des pommettes, un peu en dessous du canal lacrymal. Même position à gauche du nez pour les doigts de la main gauche. Pression modérée (7 kg) de trois secondes. Arrêt.

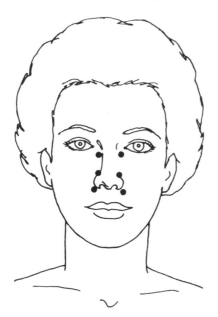

2. Déplacez les doigts vers le milieu des ailes du nez, sur la ligne joues-nez, exactement au-dessus de l'orifice des narines. Répétez la même pression. Arrêt.

3. Descendez le long du nez jusqu'au coin des narines. Même pression modérée de trois secondes.

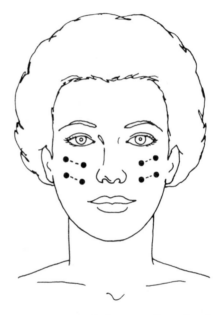

Les joues

Placez le haut de chaque médius sur l'ongle de l'index. Chaque joue a quatre points. Faites simultanément une pression sur les points correspondants de la joue gauche et de la joue droite.

1. Les deux premiers points se situent immédiatement sous le centre de l'œil, à un doigt de distance du bas de l'orbite. Trois secondes de pression modérée (7 kg). Repos.

2. Portez médius et index à deux doigts de distance sur les côtés du visage, aux points les plus saillants des pommettes, un peu en dessous des coins externes de yeux. Faites à nouveau une pression modérée (7 kg) de trois secondes. Repos.

3. Portez les doigts sur les points situés juste sous les points initiaux, comme sur une ligne qui partirait des ailes du nez. Pression modérée de trois secondes. Repos.

4. Déplacez les doigts en les éloignant de deux doigts vers l'oreille, à un doigt du sommet des pommettes. Refaites une pression modérée (7 kg) durant trois secondes.

La bouche

On note quatre points près de la bouche. Servez-vous d'un seul pouce pour le premier et le quatrième point, et des deux pouces simultanément pour le deuxième et le troisième.

1. Portez le pouce au point situé à mi-chemin entre le nez et la lèvre supérieure. Pression modérée (7 kg) de trois secondes. Repos.

2. Appuyez chaque pouce à deux doigts des commissures des lèvres. Pression modérée de trois secondes. Repos.

3. Appuyez le pouce entre le milieu de la lèvre inférieure et le bas du menton. Trois secondes de pression modérée (7 kg).

Le dessous du menton

Le point appelé à recevoir les pressions se situe à deux doigts en arrière de l'os maxillaire, là où se creuse une dépression. Posez là le bout charnu du pouce.

1. Pression modérée (7 kg) de trois secondes. Pause.

2. Renouveler la pression.

Le cou et la gorge

Pour traiter les points du cou, servez-vous de l'index et du médius des deux mains, la main gauche pour le côté gauche du cou et la droite pour le côté droit. Les points marqués sur l'illustration vous guideront. Mais c'est une indication générale : le principe est de couvrir la région du cou de pressions légères, puis modérées. Agissez en même temps sur les points correspondants des deux côtés.

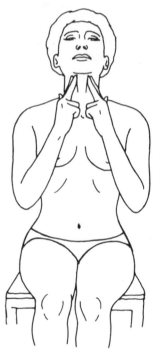

1. Placez l'index et le médius de votre main droite sous la mâchoire, à côté du haut de la trachée. Même chose avec la main gauche, sur la gauche. Faites une légère pression (4,5 kg) pendant deux secondes sur le muscle, non sur la trachée. Repos.

2. Opérez un léger mouvement descendant pour refaire la même pression.

3. Poursuivez ce mouvement jusqu'au bas du cou, en faisant une légère pression de deux secondes sur chaque point.

4. Ramenez vos mains en haut du cou et recommencez les pressions. Suivez la trace des principaux muscles du cou, du haut à la base du cou. Il n'y a qu'un point à la base du cou, entre les

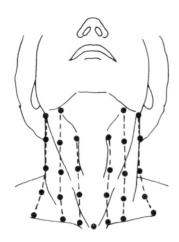

clavicules. Courbez votre pouce et posez le bout sur le haut de l'os. Pressez en direction du bas, et non sur la gorge. Pression modérée (7 kg) pendant trois secondes. Arrêt. Recommencez deux fois.

Les tempes

Notre séquence de Shiatzu pour et par soi-même s'achève sur les points des tempes. Croisez l'extrémité des médius sur les ongles des deux index.

1. Localisez les légères dépressions temporales. Des deux mains, opérez une pression modérée (7 kg) de trois secondes. Pause.

2. Renouvelez la même pression.

Prenez quelques instants de repos lorsque vous avez terminé la série d'exercices shiatzu. Appuyez-vous au dos de votre chaise et aspirez par le nez, remplissez d'air vos poumons. Gardez cet air pendant trois secondes, puis exhalez lentement par la bouche. Répétez cette respiration profonde au moins six fois.

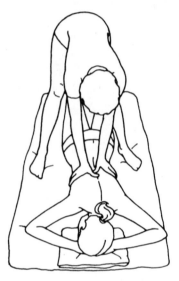

LE SHIATZU AVEC UN (OU UNE) PARTENAIRE POUR LE TEINT

L'épine dorsale

Votre partenaire s'étendra face contre terre, sur une couverture repliée ou une paillasse, la tête sur les mains et sur un coussin dur ou une serviette repliée. Enjambez votre partenaire, chacun de vos pieds posé de chaque côté, un peu plus bas que ses hanches. Bras tendus, le poids du haut de votre corps lui sera transmis par les pressions de vos pouces.

1. Localisez à l'aide du pouce droit la partie légèrement creusée entre les vertèbres, sous l'omoplate. Exercez une pression modérée (7 kg) de trois secondes. Pause.

2. Descendez le long de la colonne vertébrale, servez-vous du pouce gauche pour la pression à donner sur le point situé sous la vertèbre suivante. Pression modérée de trois secondes. Pause.

3. Alternativement, du pouce droit et du gauche, descendez jusqu'au point situé au creux de la taille. Pression modérée sur chacun des points entre les vertèbres.

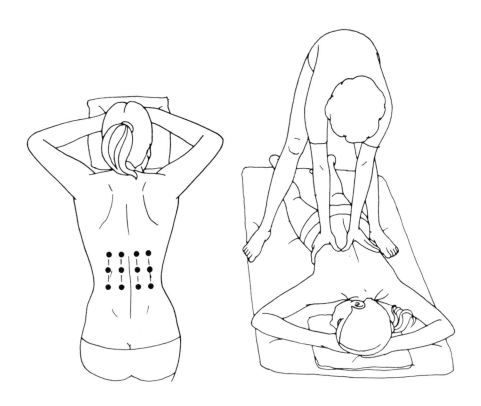

A droite et à gauche de la colonne vertébrale

1. Placez vos pouces l'un à côté de l'autre à mi-chemin entre les omoplates et la taille, en laissant un intervalle de deux doigts à partir de l'épine dorsale. Pression modérée (7 kg) de trois secondes. Arrêt.

2. Déplacez les pouces vers le bas, sur un point à mi-chemin de la taille. Renouvelez la pression. Repos.

3. Descendez à la taille et refaites une pression modérée (7 kg). Pause.

4. Remontez à un point distant de quatre doigts à droite de la colonne vertébrale, à mi-chemin de l'omoplate et de la taille. Refaites la séquence précédente le long de la ligne finissant à la taille.

5. Recommencez toute la séquence sur le côté gauche de la colonne vertébrale, d'abord à deux doigts de celle-ci, puis à quatre doigts de distance.

Les chevilles

Agenouillez-vous auprès du genou droit de votre partenaire, le regard dirigé vers la cheville droite. Posez le pouce droit sur la face interne de la cheville, en haut de la dépression creusée entre l'os de la cheville et le tendon d'Achille. Posez le pouce gauche sur le point correspondant à l'extérieur de la cheville. Vos mains entourent le dessus de là cheville.

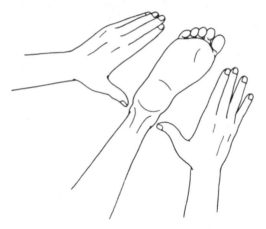

1. Pression modérée des deux pouces (7 kg). Trois secondes. Pause.

2. Déplacez les pouces vers le bas, entre le tendon d'Achille et l'os de la cheville, là où la dépression se creuse. Renouvelez la pression modérée. Pause.

3. Déplacez les pouces encore un peu plus bas, jusqu'au creux situé au-dessus du talon. Trois secondes de pression modérée. Pause.

4. Passez à la gauche de votre partenaire et faites les mêmes pressions sur la cheville gauche.

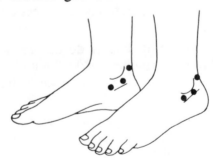

La plante des pieds

Installez-vous plus bas que les pieds de votre partenaire, en regardant vers le haut. Les trois premiers points de la plante des pieds se trouvent sur une bissectrice partageant le pied. Le quatrième et dernier point est en haut de la voûte plantaire, au-dessus de la face interne du talon, un peu en avant du premier point.

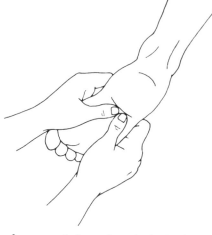

1. Entourez de vos doigts le pied droit de votre partenaire et mettez vos pouces l'un à côté de l'autre exactement sous le milieu du gras du talon. Trois secondes de pression intense (9 kg). Pause.

2. Placez les pouces au milieu de la plante du pied. Nouvelle pression intense de trois secondes. Pause.

3. Les pouces l'un à côté de l'autre sur le point situé derrière la partie renflée du pied. Forte pression (9 kg). Pause.

4. Revenir au plus creux de la voûte plantaire et exercer une forte pression des deux pouces (9 kg) trois secondes. Pause.

5. Mêmes pressions sur les points correspondants de la plante du pied gauche.

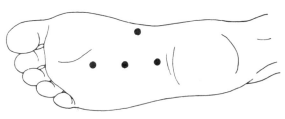

Le haut de l'abdomen

Vous vous agenouillez à la droite de votre partenaire couché sur le dos. Dans cette position, vous serez à même de traiter tous les points de l'abdomen, qui en compte six, formant une croix imaginaire au centre de la région stomacale.

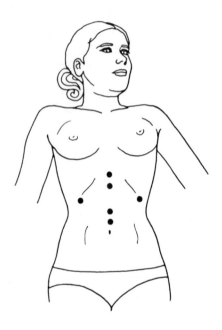

1. Mettre les deux pouces ensemble exactement sous le milieu de la cage thoracique. Trois secondes de pression modérée (7 kg). Pause.

2. Les pouces descendant de deux doigts, pression modérée (7 kg) de trois secondes. Pause.

3. Encore trois doigts plus bas sur cette même ligne, redonner une pression modérée de trois secondes. Pause.

4. Répéter cette pression sur le point situé juste au-dessus du nombril. Pause.

5. Remonter jusqu'au point situé sous la dernière côte, à droite, perpendiculairement à la pointe du sein. Pression modérée (7 kg) des deux pouces réunis. Trois secondes. Repos.

6. Passer aux points correspondants du côté gauche après vous être agenouillé à gauche de votre partenaire.

Le front

Agenouillez-vous derrière la tête de votre partenaire, de manière à atteindre sans effort le dessus de la tête. Les points du front descendent de la racine des cheveux aux sourcils, sur cinq lignes parallèles. La première part du milieu du front. La deuxième et la troisième vont de la racine des cheveux au milieu de chaque sourcil. La quatrième et la cinquième partent de la racine des cheveux pour finir à l'extrémité des sourcils.

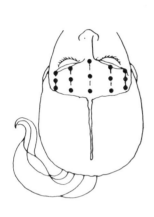 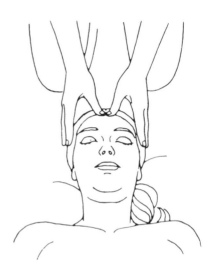

1. Posez les pouces réunis au milieu exact de la racine des cheveux, sur la « pointe des veuves ». Trois secondes de pression modérée (7 kg). Pause.

2. Répétez cette pression un peu plus bas — deux doigts — sur la même ligne. Pause.

3. Même pression sur le point situé entre les sourcils. Pause.

4. Séparez les pouces et ramenez-les à la racine des cheveux, au départ de la ligne qui s'arrête au milieu des sourcils. Trois secondes de pression modérée. Pause.

5. Deux doigts plus bas, sur la même ligne, trois secondes de pression modérée. Pause.

6. Remontez les pouces à la racine des cheveux, tout en haut des deux lignes extérieures. Sur chacun des trois points, à intervalles de deux doigts, pression modérée de trois secondes.

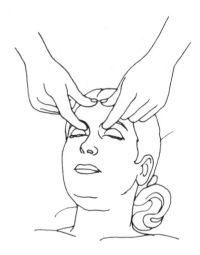

Les yeux

Les points du tour de l'œil sont sur les bords internes des orbites. Se servir des index pour la pression à imprimer aux points correspondants de l'œil droit et de l'œil gauche simultanément.

1. Poser chaque index sous le bord interne de l'orbite, aussi près du nez que possible. Pression légère (4,5 kg) de trois secondes. Pause.

2. A un doigt d'intervalle du premier point le long de la cavité orbitale, en allant vers la tempe, renouveler la même pression. Faites en sorte que l'extrémité charnue de vos doigts reste bien sur les bords internes des orbites. Pause.

3. Poursuivre les pressions, toujours à un doigt d'intervalle, finir sur le point extérieur à l'orbite.

4. Du plat de l'index et du médius, presser légèrement (1,5 kg environ) les paupières fermées. Trois secondes.

Pour atteindre l'arête inférieure des orbites, changez de position. Agenouillez-vous à la hauteur de la taille de votre partenaire. Faites des pressions simultanées à l'aide des index sur les points correspondants de l'œil gauche et de l'œil droit.

1. Commencez aussi près du nez que possible, pression légère (1,5 kg) sur l'arête interne des orbites, trois secondes. Pause.

2. Déplacez les index sur l'arête des orbites, à un doigt d'intervalle. Même pression que précédemment. Pause.

3. Continuez les pressions en respectant les mêmes intervalles, pour finir sur les extrémités extérieures des orbites.

Le nez

Reprenez la position à genoux derrière la tête de votre partenaire. Sur les points situés de chaque côté du nez, le Shiatzu se donne avec l'index sur l'ongle duquel s'appuie le bout du médius. Vous presserez simultanément les points correspondants des deux côtés du nez à l'aide des index des deux mains.

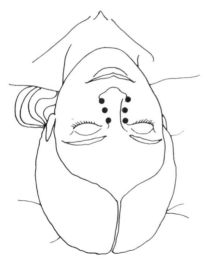

1. Les doigts posés de chaque côté du nez, un peu plus bas que le point de jonction de l'arête du nez avec la pommette, exercez une pression modérée (7 kg) de trois secondes. Pause.

2. Descendez légèrement le long du nez, même pression modérée. Pause.

3. Descendez près des narines. Même pression (7 kg).

Les joues

Il y a quatre points shiatzu sur chaque joue. Vous les travaillerez simultanément à l'aide des deux pouces.

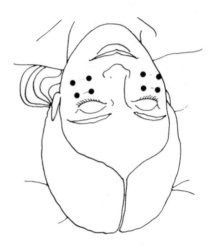

1. Commencez par les deux points situés exactement sous la prunelle de l'œil, à un doigt du bas du milieu de l'orbite. Pression modérée (7 kg) de trois secondes. Pause.

2. Déplacez légèrement les pouces sur le côté des joues, un peu au-dessus des coins externes des yeux. A nouveau, pression modérée de trois secondes. Pause.

3. Amenez les pouces sous les premiers points, à deux doigts de distance, suivant une ligne rejoignant le bas du nez. Trois secondes de pression modérée (7 kg). Pause.

4. Amenez les doigts sur les côtés des joues, à deux doigts du haut des pommettes. Trois secondes de pression modérée. Pause.

La bouche

On compte quatre points autour de la bouche. Un seul pouce pressera les premier et dernier points, et les deux pouces presseront simultanément les deuxième et quatrième points.

1. Posez le pouce à mi-chemin entre le bas du nez et la lèvre supérieure. Trois secondes de pression modérée (7 kg). Pause.

2. A deux doigts des coins de la bouche, exercez une pression modérée des pouces sur les deux points. Trois secondes (7 kg). Pause.

3. Posez le pouce entre le milieu de la lèvre inférieure et le bout du menton dans le creux formé à cet endroit. Pression modérée de trois secondes.

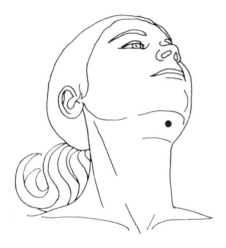

Le dessous du menton

Mettez-vous à genoux à la droite de votre partenaire et à hauteur de sa taille. Le point du dessous du menton se situe à deux doigts du bas du menton. Localisez ce point du bout du médius.

1. Pression modérée (7 kg) de trois secondes. Pause.

2. Recommencez la même pression.

Le cou

Restez près du buste de votre partenaire. Vous devez atteindre le cou sans avoir à tendre les bras. Bien que les points spécifiques soient indiqués sur le dessin ci-contre, ne considérez celui-ci que comme une indication générale. Ce qui importe, c'est de couvrir complètement la région du cou. Vous commencerez sous le maxillaire et en descendant jusqu'à la base du cou. Servez-vous de l'index et du médius des deux mains, droite et gauche alternant.

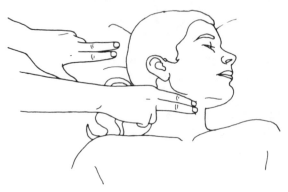

1. Placez l'index et le médius de votre main droite sous la mâchoire à côté du haut de la trachée. Pression légère (4,5 kg) au sommet d'une ligne formée par le muscle suivant la trachée. Faites bien attention à ne pas exercer de pression sur la trachée. Deux secondes de pression. Pause.

2. Posez l'index et le médius de la main gauche sous le point que vous venez de presser avec votre main droite. Même pression légère que précédemment.

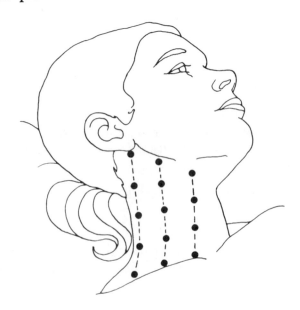

3. Sur la même ligne, continuez de descendre, mains alternées pour donner de légères pressions, jusqu'à la base du cou.

4. Ramenez les mains sous le maxillaire. Refaites des pressions en alternant main droite et main gauche, au long d'une ligne descendant vers la base du cou.

5. Poursuivez les pressions légères (4,5 kg) du haut du cou jusqu'à la base, le côté droit du cou devant être couvert de pressions.

6. Passez à gauche de votre partenaire et refaites les mêmes séquences sur le côté gauche du cou.

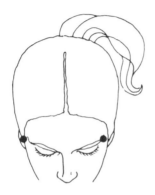

Les tempes

Reprendre votre position derrière la tête de votre partenaire. Les derniers points de cette série sont sur les tempes. Croisez le bout du médius sur l'ongle des index.

1. Cherchez la légère dépression des tempes. Servez-vous des deux mains simultanément et pressez modérément (7 kg) pendant trois secondes. Pause.

2. Renouvelez la pression.

Exercice terminal

Votre partenaire s'étend sur le dos et allonge les bras derrière la tête. Saisissez ses mains et tirez doucement jusqu'à ce que ses bras soient complètement tendus. En même temps, faites-le aspirer par le nez, emplir d'air ses poumons, au maximum, tout en étirant jambes et doigts de pied. Tenez les mains un instant, puis relâchez la tension pendant que votre partenaire exhale lentement par la bouche l'air aspiré, tout le corps bien détendu. Répétez six fois cet exercice.

CHAPITRE IV

Le Shiatzu
pour la vigueur sexuelle

Le Shiatzu peut accroître votre vigueur sexuelle. Grâce au Shiatzu, une sexualité déclinante peut être ranimée, et l'appétit sexuel stimulé, la sensualité et l'ardeur accrues.

Je considère la sexualité comme un aspect important de l'unité de l'individu. J'ai vu souvent, au cours de mes années de pratique shiatzu, des personnes — notamment celles dont la vie est l'objet de pressions constantes — qui perdaient leur ardeur sexuelle. Je les ai aidées à la recouvrer par le Shiatzu.

Pour comprendre le rôle fonctionnel du Shiatzu, dans le domaine de la sexualité, il est nécessaire de considérer les rapports étroits qui existent entre la sexualité et l'équilibre physique. La clé des fonctions heureuses du corps est dans la souplesse et un bon tonus des muscles. Les muscles du bas du dos, de l'abdomen, des cuisses et du cou doivent être souples. Une circulation du sang adéquate est également capitale pour apporter à son point optimal la vigueur sexuelle et aiguiser la sensualité.

Les exercices de Shiatzu que je propose doivent être exécutés par un partenaire. Ils se révèlent très efficaces. Le cerveau exerçant son contrôle sur les activités sexuelles comme sur les réponses motrices, les pressions se font sur le sommet de la tête et sur l'occiput. D'autres pressions sur le bas du dos, le bas de l'abdomen et la face interne des cuisses relâchent les muscles, stimulent la circulation sanguine et augmentent la réceptivité. Des pressions douces agissent sur le cou et ont pour effet de détendre les abdominaux, améliorant le métabolisme de même que la circulation entre le cœur et le cerveau. Les paumes de la main et les plantes des pieds s'inscrivent également dans cette séquence, afin de faciliter une relaxation totale du corps tout entier, et d'en accroître la sensibilité.

Le but de cette séquence dans son ensemble est d'obtenir relaxation et stimulation — deux mots en apparence contradictoires, mais qui se révèlent, ici, complémentaires.

Le Shiatzu destiné à amplifier la vigueur sexuelle est bénéfique pour les hommes comme pour les femmes. Dans le chapitre qui suit, je le décris sous l'angle de la femme « donnant » le Shiatzu à un homme. Il s'agit d'une série de soins qui s'administrent confortablement sur un lit, bien que je recommande vivement de pratiquer toutes les autres séries de Shiatzu à deux sur le sol ou sur quelque matelas ou paillasse minces et durs. Dans le cas qui nous occupe, le lit offre évidemment plus de confort.

De nombreuses personnes qui ont retrouvé leur vigueur sexuelle par le Shiatzu m'ont confié qu'elles continuent de le pratiquer, car elles en tirent profit et le considèrent comme une sorte de préambule, un « lever de rideau » qui aiguise les sens. On ne saurait, en effet, le nier. Aussi ne saurais-je trop conseiller cette forme de Shiatzu, que l'on recherche l'un ou l'autre résultat, ou même les deux à la fois.

De tous les mérites physiologiques de ces exercices shiatzu dans l'accroissement ou le réveil de la pulsion sexuelle, je crois que le plus important résulte de l'impression merveilleusement sensuelle que les deux partenaires éprouvent à la suite de ces « exercices ». En vérité, il s'agit là d'une manière de communiquer l'amour et la tendresse que l'on ressent pour quelqu'un. Que vous cherchiez à retrouver ou à intensifier votre activité et votre puissance sexuelles, le Shiatzu vous permettra, à l'issue d'une courte période qui se compte en jours, de ne faire vraiment qu'un avec votre partenaire.

La tête

Votre partenaire s'allonge sur le ventre. Si, comme cela est probable, vous n'avez pas assez d'espace sur le lit pour que votre position vous permette d'être au-dessus de la tête de votre partenaire, essayez de vous mettre à califourchon, votre poids portant sur les jarrets.

On compte deux points sur la tête. Le premier, au milieu du sommet, le second à la base du crâne, à sa jonction avec la nuque.

1. Posez l'index et le médius des deux mains sur le point du sommet de la tête. Pression intense (9 kg) de trois secondes. Arrêt.

2. Renouvelez la pression. Pause.

3. Nouvelle pression. Arrêt.

4. Portez les pouces à la base du crâne. Pression profonde (9 kg) de trois secondes. Arrêt.

5. Répétez à deux reprises cette pression profonde.

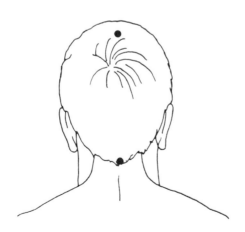

Le bas du dos

Restez à califourchon au-dessus de votre partenaire et reculez afin de pouvoir atteindre le bas de l'épine dorsale, partant d'un point situé juste au-dessus de la taille pour aller jusqu'au bas de l'épine dorsale. En parcourant cette région avec le pouce, vous sentirez les menues cavités qui séparent les vertèbres. Mettez votre pouce droit légèrement au-dessus de la taille dans l'une de ces cavités.

1. Pression modérée (7 kg) du pouce droit, durant trois secondes. Pause.

2. Mettez le pouce gauche dans la cavité suivante en descendant vers le bas de l'épine dorsale. Pression modérée de trois secondes. Repos.

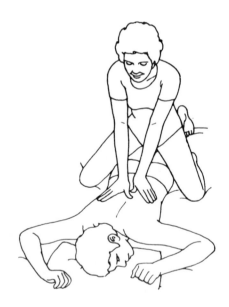

3. En faisant alterner les deux pouces, le droit d'abord, le gauche ensuite, suivez les cavités de l'épine dorsale jusqu'à la dernière vertèbre. Pression modérée (7 kg) sur chacun des points. Marquez un temps d'arrêt entre les points et continuez.

4. Reprenez au point situé au-dessus de la taille et refaites la même séquence.

5. Refaites cette séquence une troisième fois.

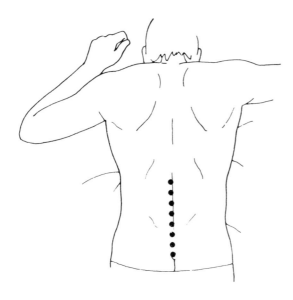

Les deux côtés de la colonne vertébrale

Laissez la largeur d'un pouce entre vos deux pouces de chaque côté des vertèbres dorsales, un peu au-dessus de la taille.

1. Pression modérée (7 kg) des deux pouces simultanément. Pause.

2. Deux doigts plus bas, sur la même ligne, renouvelez la pression.

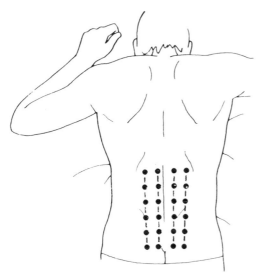

3. Poursuivez les mêmes pressions modérées des deux pouces à intervalles de deux doigts, en descendant le long de la même ligne, les pressions s'exerçant sur chaque couple de points durant trois secondes. Pause d'une seconde après chaque pression.

4. Revenez aux deux points situés au-dessus de la taille et répétez la série de pressions.

5. Recommencez toute la séquence.

6. Portez votre pouce droit à deux bons centimètres de l'épine dorsale, un peu au-dessus de la taille, et le pouce gauche à la même distance et même hauteur, à gauche. Pression modérée (7 kg) des deux pouces durant trois secondes. Arrêt.

7. Descendre les pouces de deux doigts sur les mêmes lignes et refaire la même pression. Arrêt.

8. Continuez jusqu'au bas de l'épine dorsale, aux mêmes intervalles de deux doigts, jusqu'à ce que vous arriviez au bas de l'épine dorsale.

9. Refaites deux fois cette séquence tout entière.

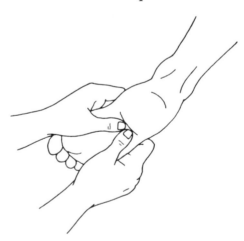

La plante des pieds

Prenez position au-dessus du pied droit de votre partenaire, au besoin descendez du lit.

La plante de chaque pied comporte quatre points où doivent se faire les pressions. Les trois premiers sur une bissectrice qui partage le pied du milieu du talon à la partie renflée. Le quatrième point est au creux de la voûte plantaire, un peu en retrait du premier, vers le côté du pied.

1. Prenez le cou-de-pied droit dans vos mains et placez les deux pouces l'un à côté de l'autre exactement au milieu de la partie charnue du talon. Pression intense (9 kg) de trois secondes. Pause.

2. Amenez vos pouces au milieu du pied, là où il est le plus étroit. Pression de 9 kg. Trois secondes. Pause.

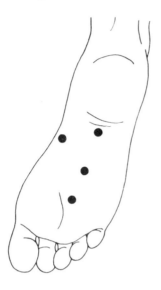

3. Descendre en ligne droite jusqu'au point voisin du talon. Trois secondes de pression intense (9 kg).

4. Déplacez légèrement les mains et posez les deux pouces côte à côte sur le point le plus haut de la voûte plantaire.

5. Reprenez deux fois la séquence, sur la plante du pied droit.

6. Déplacez-vous pour prendre le pied gauche de votre partenaire entre vos mains et répétez trois fois la séquence précédente, de 1 à 5 inclus, sur le pied gauche.

Il faut maintenant que votre partenaire se retourne sur le dos. La suite de cette série n'obéit pas à l'ordre habituel. Commençant par le côté droit, et par le côté droit du cou, vous passez ensuite à l'abdomen, puis à la cuisse droite et à la paume de la main droite. Après ces séquences, vous vous mettez à gauche de votre partenaire pour répéter les mêmes pressions sur la gauche du cou, la cuisse gauche et la paume de la main gauche. On termine la série en exerçant des pressions spéciales, selon qu'il s'agit d'un homme ou d'une femme.

Le cou

Agenouillez-vous à droite du buste de votre partenaire. Restez assez près pour atteindre son cou sans effort. Suivez les points spécifiques indiqués par l'illustration pour vous guider approximativement. Ne vous inquiétez pas si vous ne trouvez pas les points exacts. Le principal objectif est de couvrir la région du cou de pressions tantôt légères, tantôt modérées.

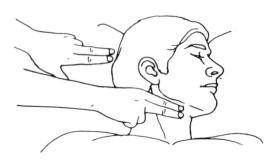

1. Mettez le médius et l'index de la main droite sous la mâchoire, à côté du haut du larynx. Veillez à ne faire aucune pression sur le larynx même. Pressez modérément (de 2,5 kg à 4,5 kg) durant trois secondes, au point où le muscle du cou touche le bord du larynx. Pause.

2. La main gauche descend à mi-hauteur vers la base du cou. Trois secondes de pression légère. Pause.

3. La main droite fait de même sur la droite du cou. Pression légère (3 kg à 4,5 kg) de trois secondes.

4. Recommencez deux fois cette séquence de haut en bas.

5. Ramenez la main droite tout en haut du cou, exactement derrière la mâchoire. Pression modérée (4,5 kg à 7 kg) de l'index et du médius, trois secondes. Repos.

6. Continuez le long du muscle à trois doigts d'intervalle, la main gauche alternant avec la main droite, jusqu'à ce que vous arriviez à la base du cou. Trois secondes de pression modérée (4,5 kg à 7 kg).

7. Répétez deux fois toute la séquence.

8. Ramenez la main sur le côté du cou au point précis qui se trouve sous le lobe de l'oreille. De l'index et du médius, pressez modérément (4,5 kg à 7 kg) pendant trois secondes. Pause.

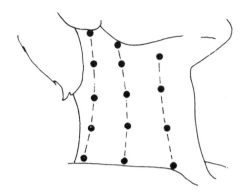

9. Continuez tout droit sous le lobe, en laissant un intervalle de trois doigts. Pressez alternativement de la main gauche et de la droite jusqu'à l'épaule. Pressions modérées (4,5 kg à 7 kg) de trois secondes sur chacun des points.

10. Recommencez deux fois encore la séquence allant du lobe de l'oreille à l'épaule.

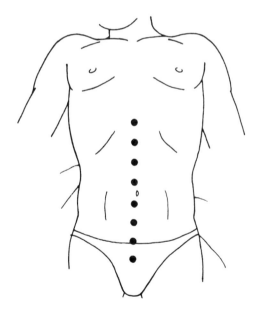

L'abdomen

On compte trois lignes de points sur l'abdomen. La première part du méridien de la conception, soit du milieu du sternum, pour rejoindre un point situé juste au-dessus des parties génitales. La seconde va de l'aine jusqu'à la jonction des cuisses avec le tronc. La troisième suit la ligne formée par le bas de la cage thoracique.

1. Placez vos pouces côte à côte au-dessous du milieu de la cage thoracique. Deux secondes de pression modérée. Pause.

2. Amenez les pouces à trois doigts de la ligne centrale, en direction du nombril. Même pression modérée (7 kg). Pause.

3. Descendre jusqu'au point situé au-dessus des parties génitales. Pression modérée (7,5 kg) de trois secondes. Pause.

4. Répétez deux fois les pressions de 1 à 3.

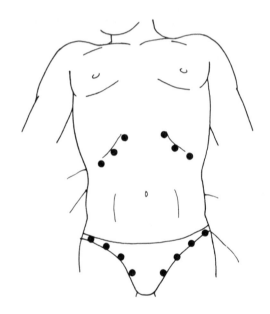

5. A califourchon sur les jambes de votre partenaire, posez le pouce gauche à la jonction du tronc et de la cuisse. Posez le pouce droit sur le point correspondant de la cuisse gauche. Pression modérée (7 kg) des deux pouces, deux secondes. Pause.

6. Portez chaque pouce à deux doigts du premier point sur la ligne de jonction, vers les côtés. Mêmes pressions modérées de deux secondes. Pause.

7. Portez chaque pouce deux doigts plus loin sur la même ligne et poursuivez jusqu'aux hanches. Pression modérée (7 kg) sur chaque point. Pause. Recommencez.

8. Refaire deux fois encore les séquences, 5, 6 et 7.

9. Les pouces posés sous la cage thoracique, de chaque côté, à deux doigts du milieu du corps. Pression modérée (7 kg) de deux secondes. Pause.

10. Eloignez les pouces de deux doigts vers les côtés, en les maintenant exactement sous le bas des côtes. Refaites une pression modérée. Pause.

11. Continuez le long du bas des côtes, en observant chaque fois un intervalle de deux doigts, jusqu'à ce que vous atteigniez les côtés du corps. Pression modérée (7 kg) sur chaque point, avec une pause entre les pressions.

12. Répétez encore deux fois cette séquence (de 8 à 11).

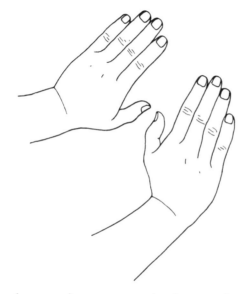

13. Vos deux mains, paumes à plat, posées sur l'abdomen de votre partenaire, exercez une légère pression simultanée (4,5 kg) des deux paumes. Déplacez les mains de manière à couvrir l'abdomen de pressions légères jusqu'à ce que vous sentiez une détente chez votre partenaire.

La face interne de la cuisse

Installez-vous à côté de la cuisse droite de votre partenaire. Les points se situent sur une ligne partant du haut de la face interne de la cuisse et se poursuivant jusqu'au-dessous du genou.

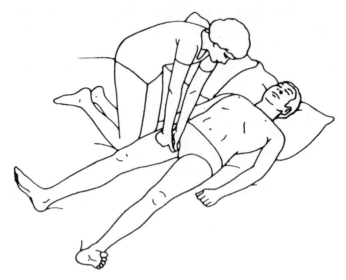

1. Posez les pouces côte à côte tout en haut de la face interne de la cuisse. Pression profonde (9 kg) de trois secondes. Pause.

2. Descendez le long du muscle en marquant une intervalle de deux doigts. Pression profonde (9 kg). Pause.

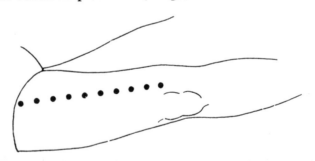

3. Refaites les mêmes pressions jusqu'au genou, en respectant l'intervalle de deux doigts. Le dernier point se trouve dans la dépression située entre la rotule et les tendons de la face interne du genou.

4. Reprenez une fois toute cette séquence.

La paume des mains

Il y a quatre points sur la paume de la main. Les trois premiers se trouvent sur une ligne allant de la base du poignet au médius. La quatrième est sur la partie renflée à la base du pouce.

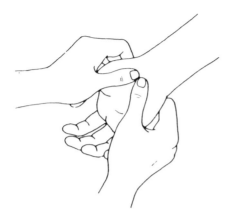

1. Prenez dans les vôtres la main de votre partenaire et mettez vos pouces l'un près de l'autre au milieu du gras de la main. Trois secondes de pression modérée. Repos.

2. Portez vos pouces au centre de la main. Même pression modérée. Repos.

3. Les pouces appuyés sur le renflement situé à la naissance du médius, pressez modérément (7 kg) durant trois secondes. Pause.

4. Mettez les pouces sur l'angle formé par l'os du pouce et celui qui mène à l'index. Trois secondes de pression modérée.

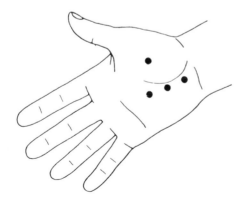

Côté gauche

Passez à gauche de votre partenaire. Agenouillez-vous au niveau de sa taille. Répétez toutes les séquences indiquées pour le cou, la cuisse et la paume de la main.

Des pressions spéciales pour terminer

Pour l'homme

Localisez le point situé au milieu du périnée, à mi-chemin du scrotum et de l'anus. Pression légère à répéter trois fois.

Pour la femme

1. Placez-vous au-dessus de la tête de votre partenaire. Les deux pouces côte à côte au sommet du sternum, faites une pression modérée (7 kg) de trois secondes. Pause.

2. Descendez de deux doigts le long du sternum, faites une pression modérée.

3. Poursuivez jusqu'à la base du sternum, juste au-dessus du haut de l'estomac. Refaites deux fois encore cette séquence.

4. Posez vos mains sur la poitrine de votre partenaire, les paumes effleurant doucement le bout des seins. Esquissez de lents mouvements circulaires sur les seins dans le sens des aiguilles d'une montre. Refaites cinq fois ce même mouvement, et arrêtez.

5. Répétez trois fois encore toute la séquence.

Pour parachever l'expérience

Lorsque vous en avez terminé avec les pressions shiatzu, vous pouvez parachever l'expérience par une « caresse de papillon ». Un effleurement très doux. Votre partenaire s'allonge à plat ventre. Vous promenez sur sa peau le bout de vos doigts qui effleurent avec une légèreté de duvet la nuque, le dos, la croupe, les cuisses, les mollets et la plante des pieds en longues caresses fluides. Votre partenaire se retourne ensuite pour se mettre sur le dos, et vous transférez ces effleurements d'une exquise légèreté sur le cou, la poitrine, le ventre, les cuisses, les mollets, les bras et les paumes des mains. C'est d'un effet positivement électrifiant, tout particulièrement à la suite des séquences de Shiatzu, le corps et l'esprit se trouvant détendus et le sang circulant librement.

CHAPITRE V

Comment réaliser une expérience shiatzu complète sur soi-même

Le Shiatzu est avant tout un moyen de conserver santé, vitalité et sérénité. Son véritable objectif est de prévenir les problèmes plutôt que d'y porter remède (encore que je vous enseigne à le faire dans les chapitres suivants). L'une des clés du Shiatzu, la principale peut-être, si l'on veut en tirer le plus grand profit, c'est de le pratiquer avec persévérance. L'idéal serait de faire les séances de Shiatzu telles que je les ai élaborées, celles qui intéressent le corps tout entier, trois ou quatre fois par semaine. La flexibilité du traitement que l'on applique soi-même en facilite la pratique régulière. Vous pouvez le faire sur vous-même en un temps relativement court (la séquence complète, telle qu'elle est décrite, ne dure que quinze ou vingt minutes) et vous pouvez la faire en n'importe quel lieu.

Je considère le Shiatzu par soi-même comme une forme d'entraînement à la méditation ; vous vous apercevrez qu'un de ses grands mérites est d'engendrer sérénité et paix intérieure. J'en fais chaque jour l'expérience, généralement à la fin de ma journée de travail. Il me procure quelques minutes de tranquillité et de détente, et accroît mes dispositions à profiter au maximum de la soirée. Peut-être préférerez-vous pratiquer le Shiatzu dès le matin, au lever. Vous découvrirez alors qu'il vous aidera à affronter la journée dans les meilleures dispositions. Et quel que soit votre choix, matin, soir ou au cours de la journée, je suis certaine que le Shiatzu vous aidera à trouver, le soir venu, un sommeil paisible.

Avant que vous attaquiez cette séquence de Shiatzu sur vous-même, reportez-vous au chapitre II, le Toucher. Notez bien les positions des mains et des doigts. A mesure que vous referez cette séquence, vous élaborerez votre technique personnelle et trouverez le rythme qui vous convient. En outre, cette pratique développera votre capacité de faire bénéficier du Shiatzu d'autres personnes, puisqu'elle vous enseignera à bien localiser les points de pression et le degré de pression le plus efficace.

L'une des premières choses que vous découvrirez, c'est que votre corps possède plusieurs points spécifiques extrêmement sensibles et réceptifs au toucher. Ces huit points capitaux sont en haut des épaules, au sommet des omoplates et à leur centre, sous les aisselles, au creux des pouces, au-dessus des fesses, à la pointe du coude et du genou. Je nomme ces points « Yipe » (1) parce que, lorqu'on les presse intensément, on provoque souvent une exclamation, un cri de douleur involontaire. L'importance de ces points tient au fait que dans les régions du corps où ils se situent, de grosses artères et des réseaux nerveux jouent le rôle d'écluses essentielles sur les courants shiatzu.

Vous vous apercevrez aussi que quantité de points situés çà et là, tout en étant moins sensibles que les points dits « Yipe », offrent une sensibilité particulière à un toucher très appuyé, qui peut même provoquer une douleur. Ceci est normal. La sensibilité au toucher indique que votre circulation et votre tonus musculaire, en ces points, souffrent de tensions. Et bien que vous soyez inconscients, en règle générale, de cette sensibilité interne, le fait même qu'elle existe indique les régions spécifiques qui tireront grand bénéfice de séances régulières de Shiatzu. Lorsque vous rencontrez ce type de sensibilité ou de réaction douloureuse en vous donnant à vous-même les pressions shiatzu, refaites les pressions indiquées deux ou trois fois de plus sur ces points-là.

Ne vous préoccupez pas outre mesure de l'endroit précis des points indiqués. Rappelez-vous simplement que votre pouce et vos doigts couvrent une surface assez large et que votre toucher aura inévitablement l'effet désiré si vous l'appliquez avec fermeté dans le voisinage immédiat d'un point donné.

Ces exercices de Shiatzu par soi-même peuvent être faits en position assise soit sur un siège, soit à terre. Personnellement, je préfère m'asseoir sur une chaise à dossier droit. Cela permet une détente plus complète de mes jambes. Et à moins que vous

---

(1) Ce qui correspond à notre « Ouille » ou « Hou-là ». (N.D.T.)

ne fassiez vos pressions shiatzu dans un lieu où vous risquez d'être dérangé, gardez sur vous le moins de vêtements possible.

Asseyez-vous de façon à ce que vos pieds reposent bien à plat sur le sol, votre poids portant sur les fesses, et le dos bien droit. Relaxez-vous, respirez profondément, et commencez.

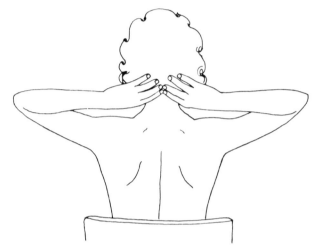

LA TÊTE ET LE COU

La base du crâne

Placez les deux mains à la base de l'occiput. De l'index et du médius de chaque main, tâtez le léger renfoncement situé tout en haut du cou, juste au bas du crâne. En médecine orientale, ce point s'appelle « Porte silencieuse ».

1. Exercez une pression forte (9 kg) dans ce léger creux de la base du crâne à l'aide de l'index et du médius des deux mains.

2. Tenez trois secondes. Repos.

3. Renouvelez la même pression. Pause.

4. Recommencez.

Les muscles du cou

Séparez vos mains et posez les doigts en haut des gros muscles qui partent de la base du crâne pour aller à l'épaule. Mettez l'index gauche et les deux autres doigts du milieu au sommet du muscle de gauche, là où il rejoint le crâne, et faites la même chose de la main droite sur le muscle de droite. On appelle les lignes formées par ces deux muscles « les Colonnes du ciel ». Leur importance est grande sur l'irrigation sanguine de la tête et du cerveau, de même que celle de la « Porte silencieuse ».

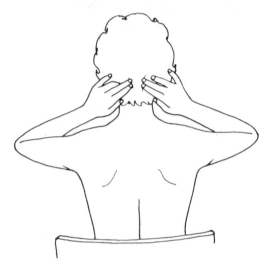

1. Forte pression (9 kg) simultanée sur les deux points. Trois secondes. Pause.

2. Descendez le long du muscle, de deux centimètres et demi environ, les doigts toujours centrés sur le muscle. Trois secondes de pression intense (9 kg). Pause.

3. Continuez en descendant le long des muscles du cou, en respectant le même intervalle de deux centimètres et demi. Cinq points au total jusqu'à l'épaule, là où finit le muscle. Mêmes pressions.

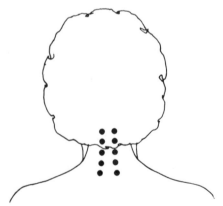

Le sommet de la tête

C'est avec l'index, le médius et l'annulaire des deux mains que vous appliquerez le Shiatzu sur le sommet de la tête. Imaginez que vos cheveux sont partagés par une raie allant du milieu du front au sommet de la tête. Courbez vos doigts et posez l'extrémité des médius l'une en face de l'autre au milieu de la raie, puis écartez l'index et l'annulaire de chaque main à deux centimètres et demi de distance sur cette même ligne médiane.

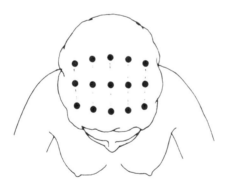

1. Pression modérée (7 kg) sur les trois points simultanément. Tenez trois secondes. Pause.

2. Séparez les mains, vos doigts posés comme précédemment, mais à deux doigts de distance des points initiaux, se rapprochant des côtés de la tête. Pression modérée de trois secondes. Pause.

3. Même mouvement des doigts dans la même direction, en laissant un intervalle analogue. Nouvelle pression modérée de trois secondes.

LES ÉPAULES ET LE DOS

Les épaules

Cherchez le point sur le haut de l'épaule droite à l'aide de l'index et du médius de la main gauche. Le point se trouve à mi-chemin de la base du cou et du bord de l'épaule, légèrement en arrière du muscle central de. l'épaule. Ce point, particulièrement sensible, porte le nom de « Fontaine (ou « Source ») de l'Epaule ». C'est un point clé, siège de fréquentes tensions.

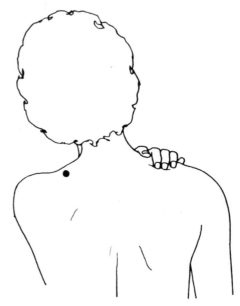

1. Essayez de localiser ce point central au bout des doigts. Lorsque vous touchez l'endroit le plus sensible, vous avez trouvé.

2. Pression intense (9 kg) à l'aide de l'index et du médius, durant trois secondes. Pause.

3. Nouvelle pression profonde. Pause.

4. Encore trois secondes de pression intense. Pause.

5. Localisez le point correspondant sur l'épaule gauche avec les doigts de la main droite, et recommencez toute la séquence.

La partie supérieure du dos

Un massage par pression shiatzu fait par soi-même sur le haut du dos exige une extension des bras qui est bénéfique en soi. Pour commencer, amenez la main gauche au-dessus de

l'épaule droite. Touchez l'épine dorsale de l'index, du médius et de l'annulaire, tendant le bras et redressant le dos de manière à atteindre le plus bas possible vers l'épine dorsale. Vous posez alors les doigts à un doigt des vertèbres. Les premiers points partent de là pour monter tout droit jusqu'à l'épaule.

1. De l'index, du médius et de l'annulaire de la main gauche, pression forte (9 kg) de trois secondes. Pause.

2. Deux doigts plus haut en allant vers l'épaule, nouvelle pression forte de trois secondes. Pause.

3. Poursuivez sur la même ligne, en laissant le même intervalle entre les pressions, jusqu'au dernier point (le quatrième), qui est sur l'épaule. Mêmes pressions fortes de trois secondes.

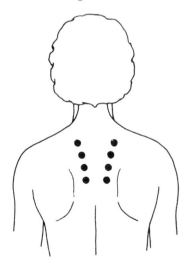

4. Tendre votre bras gauche aussi loin que possible pour que la main atteigne l'épine dorsale, et vous en écarter d'un doigt.

5. Pression intense (9 kg) de trois secondes. Pause.

6. Suivez une ligne montant vers l'épaule, et répétez la séquence précédente (2 et 3). Trois secondes de pression intense sur chaque point.

7. Le dernier point, sur la ligne d'épaule, doit être à trois doigts des vertèbres.

8. Changez de main, passez la droite sur l'épaule gauche. Répétez les séquences sur le côté gauche de l'épine dorsale.

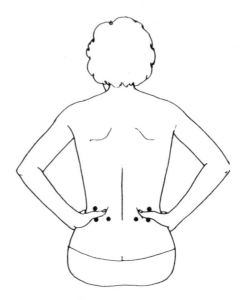

La partie inférieure du dos

Asseyez-vous un peu plus en avant sur votre chaise. Placez l'extrémité de vos trois doigts du milieu en haut de vos hanches et allongez les pouces vers l'épine dorsale à hauteur de la taille. Chacun des deux pouces doit être posé à trois doigts de distance de l'épine dorsale, sur le creux de la taille.

1. Pression intense (9 kg) des pouces pendant trois secondes. Pause.

2. Renouvelez cette pression intense de trois secondes. Pause.

3. Les pouces descendent de trois doigts et refont la même pression forte (9 kg). Pause. Recommencez deux fois.

4. Eloignez les pouces en largeur, de trois doigts vers les côtés. Trois secondes de pression intense. Pause. Recommencez deux fois.

5. Ramenez vos pouces sur la taille. Chacun doit se trouver dès lors à six doigts environ de l'épine dorsale. Trois pressions intenses de trois secondes.

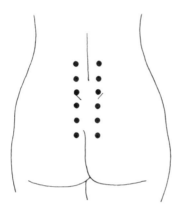

Le bas de la colonne vertébrale

Vous vous tiendrez debout pour cette séquence. Localisez d'une main le bas de l'échine, le coccyx.

1. De l'index et du médius des deux mains, exercez une pression modérée (7 kg). Deux secondes. Pause.

2. Remontez le long des vertèbres en laissant deux doigts d'intervalle. Pression modérée des deux mains. Deux secondes. Pause.

3. Continuez ainsi jusqu'à la taille, mêmes intervalles et mêmes pressions.

LE VISAGE ET LE COU

Le front

Asseyez-vous pour ces exercices. Vous travaillerez le front en commençant par le milieu pour aller vers les tempes. N'oubliez pas de tenir vos coudes sur le même plan que la direction que vous imprimez aux pressions. Il faut garder les coudes levés en dehors, l'angle qu'ils forment s'élargissant à mesure que vos doigts se déplacent vers les tempes.

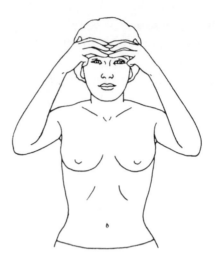

1. Joignez les bouts de vos index juste sous le milieu de la ligne des cheveux, sur la « pointe des veuves », si vous en avez une. Posez dessous les médius qui arrivent ainsi au milieu du front, l'annulaire devant se trouver exactement au-dessus de l'espace qui sépare les sourcils.

2. Pression modérée (7 kg) des trois doigts indiqués ci-dessus, et des deux mains simultanément. Trois secondes. Pause.

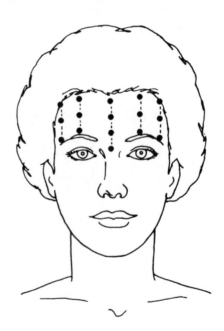

3. Refaites trois secondes de pression modérée. Pause.

4. Recommencez. Pause.

5. Déplacez les doigts au long de lignes partant du milieu des sourcils pour remonter à la racine des cheveux. Trois secondes de pression modérée (7 kg) sur les trois points de ces lignes (haut, milieu et base du front).

6. Refaites deux fois encore la même pression.

7. Déplacez les doigts vers la série de points allant de la racine des cheveux jusqu'à l'extrémité des sourcils. Trois secondes de pression modérée (7 kg). Recommencez deux fois.

8. A l'aide d'un pouce, faites une pression dans la légère dépression avoisinant l'arête du nez, entre les yeux. Pression intense (9 kg) pendant trois secondes.

Les yeux

Les points qui entourent les yeux se situent sur le bord interne des orbites. Servez-vous de l'index, du médius et de l'annulaire de la main gauche pour l'œil gauche, et des mêmes doigts de la main droite pour l'œil droit. Travaillez les deux yeux simultanément. Ayez soin de retirer vos verres de contact si vous en portez.

1. Ecartez légèrement les doigts et posez les bouts charnus sur les bords internes du haut des orbites. L'index de chaque main doit être aussi près du nez que possible. Fermez les yeux et pressez du bout des doigts le bord interne des orbites.

2. Légère pression de trois secondes (4,5 kg). Pause.

3. Les doigts descendent un peu ; les bouts sont posés sur les paupières fermées. Trois secondes de pression très légère (1 kg environ). Pause.

4. Les doigts un peu recourbés, pressez le bord inférieur de la partie inférieure des orbites. Pression légère (4,5 kg) sur l'os pendant trois secondes.

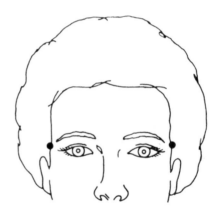

Les tempes

Les points à presser sur les tempes sont de légères dépressions. Utilisez l'index et le médius de chaque main. Agissez sur le côté droit et le côté gauche en même temps.

1. Trois secondes de pression modérée (7 kg). Pause.

2. Refaire la même pression de trois secondes. Pause.

Les joues

Vous appuierez sur les pommettes en vous servant de l'index et du médius réunis sur les deux joues en même temps.

1. Pression modérée (7 kg) sur le côté du nez, un peu au-dessous de l'arête. Trois secondes. Repos.

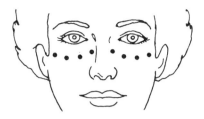

2. A un doigt de distance sur la pommette, trois secondes de pression modérée (7 kg). Pause.

3. Déplacez les doigts à la même distance sur le plat de l'os des pommettes. Trois secondes de pression modérée. Pause.

4. Un doigt plus loin, pression modérée de trois secondes. Pause.

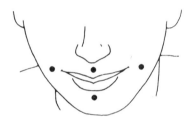

La bouche et le cou

Il y a quatre points autour de la bouche.

1. Du pouce droit, faites une pression modérée (7 kg) sur un point situé exactement entre le bas du nez et la lèvre supérieure. Trois secondes. Repos.

2. Le pouce droit sur le point de la joue droite éloigné de deux doigts du coin de la bouche, le pouce gauche appuyé sur le même point de la joue gauche, faites une pression modérée (7 kg) de trois secondes. Pause.

3. Le bout du médius posé sur l'ongle de l'index droit, pressez modérément (7 kg) le point du menton situé à mi-chemin entre la lèvre inférieure et le bas du menton. Trois secondes. Pause.

Le dessous du menton

Le point du dessous du menton se trouve derrière l'avant de la mâchoire inférieure. Appuyez le gras du pouce droit, à deux doigts de l'extrémité du menton.

1. Trois secondes de pression modérée (7 kg). Pause.
2. Refaire la même pression. Pause.

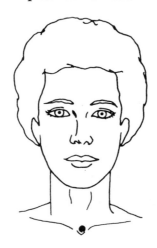

Le cou et la gorge

Posez l'ongle de l'index sous le bout du médius de la main droite ; appuyez sur le point situé à la base du cou, là où se joignent les deux clavicules.

1. Pression modérée (7 kg) sur l'os, et non sur la trachée. Trois secondes. Pause.

2. Refaites deux fois cette même pression de trois secondes, en observant une pause entre les deux.

Le devant et les côtés du cou

Pour le cou, servez-vous de l'index et du médius des deux mains. Bien que vous puissiez voir l'emplacement des points spécifiques sur le dessin qui illustre cette séquence, n'en tenez compte qu'en tant qu'indication générale. L'important est de couvrir toute la région du cou de pressions d'abord légères puis modérées. Agissez en même temps sur les points correspondants des deux côtés droit et gauche.

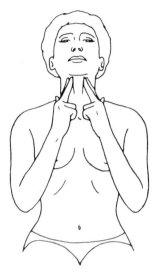

1. Placez l'index et le médius de la main droite sous le maxillaire, à côté du haut de la trachée. Même position pour la main gauche sur le côté gauche. Deux secondes de pression légère (4,5 kg) sur ces points. Pressez sur le muscle, non sur la trachée. Pause.

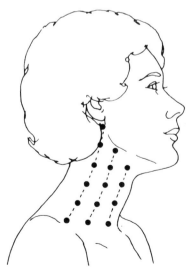

2. Faites glisser légèrement vos doigts vers le bas et continuez les pressions légères de deux secondes le long d'une ligne descendant vers la base du cou. En médecine d'Extrême-Orient, cette région du cou porte le nom de « Fontaine de beauté et de jouvence ».

3. Ramenez les mains sous la mâchoire, en les éloignant un peu du milieu du cou. Refaites les pressions des deux côtés, en descendant en droite ligne vers la base du cou.

4. Continuez les pressions dans le même sens, en vous éloignant chaque fois davantage du milieu du cou jusqu'à ce que vous ayez couvert de pressions légères tout le devant et les côtés du cou.

LES JAMBES ET LES PIEDS

Les séquences qui vont suivre intéressent la totalité de la jambe droite jusqu'à la plante des pieds, puis la jambe gauche sur laquelle vous répéterez la séquence.

Le haut de la cuisse

Là, les points descendent de l'aine au genou le long du milieu de la cuisse.

1. Les pouces placés côte à côte tout en haut de la cuisse et au milieu, prenez la cuisse dans vos mains sans serrer.

2. Pression intense (9 kg) de trois secondes. Pause.

3. Les pouces descendent de deux doigts en direction du genou. Trois secondes de forte pression (9 kg). Pause.

4. Continuez au long de la ligne centrale jusqu'au plus saillant de la rotule, en laissant un espace de deux doigts entre deux points de pression.

La face interne de la cuisse

La ligne de points descend au milieu de la face interne de la cuisse, du haut jusqu'au creux du genou.

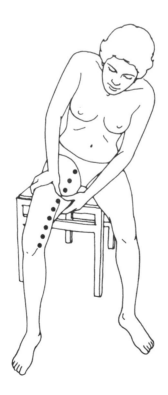

1. Posez les deux pouces côte à côte au point le plus haut. Les doigts de la main gauche doivent entourer le dessous de la cuisse, ceux de la main gauche entourant le dessus.

2. Pression intense (9 kg) de trois secondes. Pause.

3. Laissez deux doigts d'intervalle en descendant le long de la ligne partageant la face interne de la cuisse, appuyez les pouces pour une pression intense (9 kg) de trois secondes. Pause.

4. Continuez ainsi jusqu'au genou.

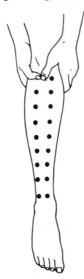

La jambe

Les points situés à l'endroit du tibia suivent des lignes descendant des deux côtés de l'os. La première suit le bord externe de l'os. La seconde suit le bord interne, à partir du genou jusque sur le haut de la cheville. Vous commencerez par les points de la première ligne.

1. Les deux pouces posés côte à côte sous la protubérance qui suit la rotule à l'extérieur du tibia, les mains entourant la jambe, faites une pression intense (9 kg) de trois secondes. Pause.

2. Deux doigts plus bas, répétez la même pression profonde. Durée : trois secondes. Pause.

3. Continuez le long de la jambe à intervalles de deux doigts. Le point final se situe sur le bord externe de l'os au départ de la cheville.

4. Placez vos pouces côte à côte au haut du côté extérieur du tibia. Les autres doigts entourant la jambe, refaites les pressions à deux doigts de distance jusqu'au commencement de la cheville.

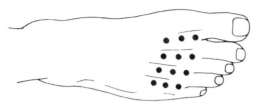

Le dessus du pied

Les points du pied sont situés dans les petites lignes creuses qui séparent les tendons aboutissant aux orteils. Vos pieds à plat sur le sol, penchez-vous et mettez les pouces l'un à côté de l'autre dans la ligne creuse qui se trouve à l'arrière du sommet de l'angle formé par le gros orteil et le doigt de pied voisin.

1. Pression modérée (7 kg) de trois secondes. Pause.

2. A une faible distance du premier point, sur la même ligne, pression modérée identique, trois secondes. Pause.

3. Le troisième point est au bout de la ligne. Pression modérée de trois secondes. Pause.

4. Répéter les séquences sur les lignes correspondantes entre les tendons des autres doigts de pied.

Les orteils

Posez votre cheville droite sur votre genou gauche. Les points se situent sur le dessus, la base et le côté de chaque doigt de pied, entre les phalanges.

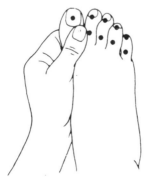

1. Saisissez votre gros orteil en mettant votre pouce gauche sur la deuxième phalange de l'orteil, et l'index exactement en face, sous l'orteil. Serrez pour donner une pression modérée (7 kg) de trois secondes. Repos.

2. Glisser le pouce à la base de l'orteil, l'index toujours dessous. Trois secondes de pression modérée en serrant l'orteil. Pause.

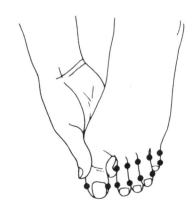

3. Revenez à la phalange supérieure du gros orteil. Appuyez des deux côtés au milieu de l'os en pressant modérément trois secondes. Répétez cette pression de chaque côté de la seconde phalange.

4. Même forme de pression sur chacun des autres doigts de pied, le haut d'abord, la base ensuite, et les côtés de chaque phalange.

Le mollet

Reposez le pied sur le sol. Penchez-vous, et entourez la jambe de vos mains, les pouces se touchant sous le creux du genou. Les points à presser commencent sous ce dessous du genou pour finir à l'arrière de la cheville.

1. Pression intense (9 kg) des pouces sur le point le plus haut du muscle du mollet. Pause.

2. Descendre les pouces de deux doigts. Refaire la même pression. Pause.

3. Continuez tout au long du muscle en laissant entre chaque point un intervalle de deux doigts. Refaire chaque fois la pression intense. Le dernier point se trouve là où le muscle s'aplatit et rejoint le haut de la cheville.

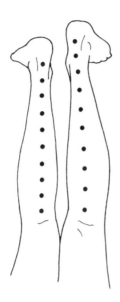

La cheville

Posez votre pied droit à plat sur le sol. Penchez-vous. Mettez le pouce droit sur le côté extérieur de la cheville à l'endroit le plus creux, c'est-à-dire entre l'os et le tendon d'Achille qui rejoint l'arrière du talon. Vos mains enveloppent le cou de pied.

1. Pression modérée (7 kg) des deux pouces. Trois secondes. Pause.

2. Répétez la même pression de trois secondes.

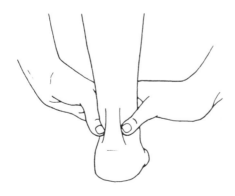

La plante des pieds

Posez la cheville droite sur le genou gauche. On compte quatre points de pression sur la plante des pieds. Les trois premiers suivent une bissectrice du pied, appelée « la Source d'Energie ». Le quatrième est au plus haut de la voûte plantaire, au-dessus et légèrement en avant du premier point. C'est celui que l'on appelle « la Vallée de la plante du pied ». Les pressions sur ces quatre points ont pour effet d'alléger la fatigue et de stimuler la circulation du sang.

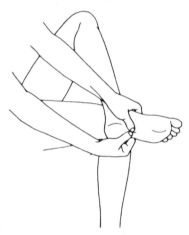

1. Prenez votre pied à deux mains, les deux pouces se rejoignant près du renflement du talon. Pression forte (9 kg) de trois secondes. Pause.

2. Même pression de trois secondes un peu plus bas sur la ligne médiane, à la partie la plus étroite du pied. Pause.

3. Le troisième point se trouve exactement en arrière de la partie la plus charnue de la plante du pied. Trois secondes de pression intense (9 kg). Pause.

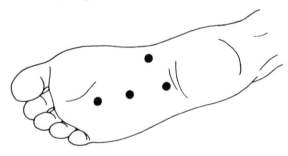

4. Posez les pouces l'un contre l'autre sur le point le plus haut de la voûte plantaire. Trois secondes de pression intense.

Le moment est venu maintenant de travailler cuisse, jambe et pied gauches. Reprenez la séquence dès le début du paragraphe : *Les jambes et les pieds,* et, en commençant par la cuisse, suivez toute la séquence en terminant par la plante du pied gauche.

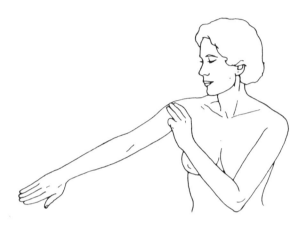

LES BRAS ET LES MAINS

C'est votre main gauche qui donnera le Shiatzu à votre bras droit. Enfoncez très fort le pouce sous l'aisselle du bras droit. Etendez les autres doigts autour du dessus du bras et enfoncez les bouts de l'index, du médius et de l'annulaire sur la partie éloignée du muscle principal. Vous pressez simultanément des doigts et du pouce. La ligne que tracera votre pouce longe le muscle, côté interne, là où il suit l'humérus. Les doigts suivent une ligne correspondante de l'autre côté du muscle et de l'humérus.

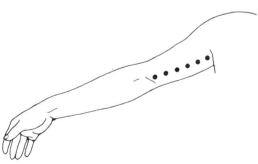

1. Pression intense (9 kg) sous l'aisselle. Deux secondes. Enfoncez en même temps les doigts à l'extérieur de l'épaule.

2. Descendez de trois doigts sur le bras le long de la ligne os-muscle. Pression intense (9 kg) du pouce et des doigts. Trois secondes. Pause.

3. Continuez ainsi le long de la ligne en laissant trois doigts d'intervalle entre les pressions, jusqu'au coude. Le dernier point est juste au-dessus de l'articulation du coude.

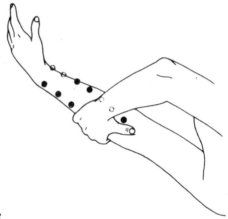

L'avant-bras

Tournez le bras de sorte que vous puissiez regarder le dessus. Posez le pouce à la saignée du coude — dans le creux formé sous l'articulation. Vos doigts serreront le dessus du bras, par conséquent le bord externe du muscle de l'avant-bras.

1. Pression intense (9 kg) du pouce et des doigts. Trois secondes. Pause.

2. Descendez de trois doigts en allant vers le poignet. Le pouce reste sur le bord interne du muscle, les autres doigts sur le bord externe. Trois secondes de pression intense. Pause.

3. Continuez jusqu'au poignet, en respectant les mêmes intervalles de trois doigts. Répétez ensuite la séquence entière sur le haut du bras et sur l'avant-bras gauche.

Le dos de la main

Ecartez les doigts de votre main droite, paume en dessous. C'est entre les tendons allant du poignet aux premières phalanges que se situent les points à presser.

1. Posez le pouce gauche sur le mont renflé qui est à la base du pouce, tout en bas, près de la jointure au poignet. L'index gauche sera posé sous la main, exactement à l'opposé du pouce. Pression intense (9 kg) de trois secondes. En médecine orientale, ce point porte le nom de « Vallée » et il est d'une extrême sensibilité.

2. Amenez le pouce gauche entre l'index et le médius de la main droite, à mi-hauteur entre le poignet et l'os d'articulation, l'index exactement en face, sur la paume.

3. Pression modérée (7 kg) en serrant durant trois secondes. Pause.

4. Remontez sur la main et refaites la même pression sur deux points, jusqu'à l'articulation.

5. Faites la même pression, sur trois points semblables situés entre les tendons menant au médius et à l'annulaire, puis entre ceux qui vont à l'annulaire et au petit doigt.

6. Recommencez toute la séquence sur la main gauche, en vous servant du pouce et des autres doigts de la main droite.

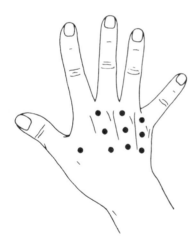

Les doigts

Il faut exercer une pression sur les trois phalanges de chaque doigt, entre les jointures, en haut, en bas, et sur les côtés de l'os.

1. Saisissez le dessus et le dessous de la première phalange du pouce droit entre le pouce et l'index gauches. Faites une pression modérée (7 kg) des deux doigts, durant trois secondes, en serrant bien. Pause.

2. Amenez le pouce gauche sur la base de l'ongle du pouce droit. Votre index gauche sur le côté opposé, serrez bien pour une pression modérée (7 kg) de trois secondes.

3. Saisissez la première jointure de votre pouce droit entre le pouce et l'index gauches. Pression modérée de trois secondes. Pause.

4. Répétez la même pression, le pouce et l'index gauches sur le dessus et le dessous du pouce droit.

5. Traitez tous vos doigts l'un après l'autre de la même manière. Faites une pression sur la première et la deuxième phalange de chacun des doigts, d'abord dessus et dessous, puis sur les côtés, avant de passer au doigt suivant.

6. Recommencez toute la séquence pour les doigts de la main gauche en vous servant du pouce et de l'index de la main droite.

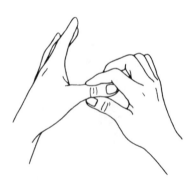

Exercices terminaux

Reposez-vous un instant avant d'en terminer. Ces derniers exercices sont importants parce qu'ils valorisent au maximum les bienfaits du Shiatzu pratiqué en solitaire.

1. Etendez-vous sur le sol, le dos bien à plat, les bras étendus derrière les épaules.

2. Etirez vos bras aussi loin que vous le pouvez en les allongeant en arrière, en même temps que vous pointez vos doigts de pied en avant, en les raidissant. Comptez jusqu'à cinq.

3. Les bras toujours tendus derrière les épaules, soulevez vos doigts de pied pour les pointer en l'air, cinq secondes. Détendez ensuite bras et pieds.

4. Les bras toujours tendus, mais en relâchant les muscles, aspirez profondément par le nez. Emplissez d'air vos poumons. Gardez-le un moment, puis expirez lentement par la bouche. Répétez deux fois encore cet exercice de respiration profonde.

5. Reposez-vous au moins cinq minutes sans quitter votre position avant de vous relever.

Vous devez éprouver maintenant un délicieux bien-être. Il se peut qu'en vous remettant debout, à la fin de ce massage shiatzu fait par vous-même, vous vous sentiez quelque peu étourdi(e) durant un court instant. Rien de surprenant à cela. Mais tout votre corps sera vite envahi d'une sensation heureuse. La seule chose encore plus agréable que je connaisse est la sensation éprouvée après une séance de Shiatzu faite sur toutes les parties du corps par un — ou une — partenaire. Cependant, jusqu'à ce que vous puissiez faire l'expérience du Shiatzu à deux, ou bien pour combler les vides entre deux séances de Shiatzu de cette sorte, un massage shiatzu par vous-même tous les deux jours peut et doit vous procurer une meilleure connaissance de votre être physique. Vous apprécierez la sensation de détente et de sérénité qu'il vous apportera, de même qu'un surplus d'énergie fort agréable. Le Shiatzu par soi-même assure sans peine, et de façon spectaculaire, santé, vitalité, ardeur de vivre.

CHAPITRE VI

Comment donner un traitement shiatzu sur tout le corps de votre partenaire

Le Shiatzu complet, c'est-à-dire appliqué sur la totalité du corps, représente la forme la plus authentique, la plus achevée de cette technique. Au cours d'une expérience partagée, toutes les parties du corps sont traitées, chaque méridien est touché, et les méridiens, considérés comme système intégré, représentent l'Unité de l'être. Une communication profonde s'établit entre les deux partenaires, leurs réactions s'interpénètrent. Pour la personne qui le reçoit, le Shiatzu est un moyen de se relaxer, d'éprouver un grand bien-être et de repartir avec une ardeur nouvelle. Pour qui l'administre, le Shiatzu doit apporter la satisfaction d'avoir donné de ses mains un bonheur physique et moral, en partageant avec l' « autre » ses propres forces vitales.

Les instructions que vous allez lire procèdent du point de vue de la personne qui « donne » le Shiatzu. Elles se fondent sur ce que je fais, moi, professionnelle, lorsque je traite un corps dans sa totalité. Pour parvenir au terme de la séquence, il vous faudra probablement entre quarante-cinq minutes et une heure. Donner un Shiatzu complet à quelqu'un est physiquement assez éprouvant (je ne prends pas plus de trois patients par jour), mais vous vous apercevrez que votre propre condition physique bénéficie des traitements que vous administrez.

A mesure que vous acquerrez de l'expérience, vous découvrirez un véritable langage du toucher, et vous percevrez votre capacité de communiquer avec votre partenaire par le bout de vos doigts. Vous serez attentif à ses messages muets, à ses réflexes, à ses manières de respirer, à ses réactions musculaires. Si vous pressez certains points de son corps, il (ou elle) réagira aussi par un petit cri de douleur. Ces réactions pénibles surviennent lorsque les pressions shiatzu efficaces touchent ce que j'appelle les points « Yipe » — les huit points les plus importants se situant sur le haut des épaules, le dessus et le milieu de chaque omoplate, les aisselles, le creux des pouces, le dessus des fesses, à la pointe des coudes et au-dessous des genoux. Il ne faut pas éviter ces points, quelles que soient les réactions de votre partenaire, car ce sont les points critiques du Shiatzu, là où se trouvent les grosses artères et les réseaux nerveux. Ces points jouent le rôle d'écluses sur les méridiens shiatzu ; en conéquence, leur importance est capitale. Des pressions faites convenablement sur ces points renouvellent les sources d'énergie, réduisent les tensions et accélèrent la circulation sanguine au-delà de ces points.

Ne vous tracassez pas outre mesure pour trouver avec une précision absolue le point indiqué pour la pression. Rappelez-vous que le pouce et le bout des doigts couvrent une surface non négligeable. Votre pression obtiendra l'effet recherché si elle est appliquée avec toute la fermeté désirable dans le voisinage immédiat d'un point donné.

Avant de faire l'expérience du Shiatzu à deux, votre partenaire et vous aurez avantage à parcourir les instructions détaillées de ce chapitre. Il est nécessaire d'accoutumer votre esprit à l'ordre général dans lequel se déroule le Shiatzu. Vous serez alors prêts à commencer. Votre partenaire et vous porterez le moins de vêtements possible, juste ce qu'il faut pour vous sentir à l'aise. Si la pièce où vous vous installez est un peu froide, munissez-vous d'une couverture légère ou d'une serviette éponge pour couvrir les parties du corps exposées au froid pendant les soins.

Votre partenaire s'allongera à plat ventre sur une couverture repliée posée sur le sol, ou sur un matelas mince et dur, les bras étendus sur les côtés, la tête reposant sur un petit coussin dur ou une serviette repliée. Le visage peut aussi reposer sur les mains posées sur ce coussin. Rappelez-vous que c'est *vous* qui transmettez votre force vitale et que pendant tout le temps que dure le Shiatzu, votre toucher doit se régler sur les réactions de votre partenaire.

LE TORSE ET LA COLONNE VERTÉBRALE

Le haut de l'épaule

Agenouillez-vous de manière à vous trouver à une trentaine de centimètres derrière la tête de votre partenaire. Restez assez près pour atteindre sans effort le haut de ses épaules. Pour toutes les séquences, commencez par le côté droit et finissez par le côté gauche. Tendez le bras gauche, posez votre pouce sur le haut de l'épaule droite et localisez le point central. Le dos de votre main doit rester en l'air, le pouce tendu dessous. Le point de l'épaule se situe à trois ou quatre doigts de la base du cou, suivant la largeur de l'épaule. Il est légèrement en retrait du muscle qui commande l'épaule. Ce point, appelé « Fontaine de l'épaule » par les médecins orientaux, est un point clé, siège de tension. C'est aussi l'un des points sensibles à la douleur. Vous entendrez probablement gémir votre partenaire quand vous appuierez pour le localiser.

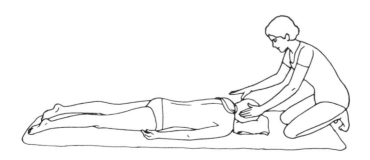

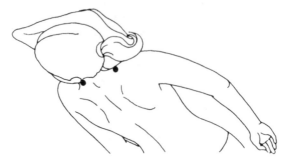

1. Posez l'extrémité du pouce droit sur l'ongle du pouce gauche. Pression intense (9 kg) de trois secondes. Pause.

2. Refaites la même pression (9 kg) pendant trois secondes. Pause.

3. Recommencez une fois encore, pression intense (9 kg) trois secondes. Pause.

4. Déplacez-vous légèrement et alignez-vous au-dessus de l'épaule gauche de votre partenaire. Inversez la position des pouces, le gauche sur l'ongle droit. Répétez les séquences de pression décrites ci-dessus sur cette épaule.

L'arrière de l'épaule

Restez à genoux et localisez à l'aide du pouce gauche le point situé à l'intérieur du coin du haut de l'omoplate. Vérifiez, juste au-dessus de l'os.

1. Posez le bout du pouce droit sur l'ongle du pouce gauche.

2. Donnez une pression intense (9 kg) de trois secondes. Pause.

3. Refaites la même pression de trois secondes. Pause.

4. Inversez la position des pouces, le gauche sur l'ongle du droit. Suivez l'ordre de la séquence sur le point de l'épaule gauche correspondant à celui de la droite.

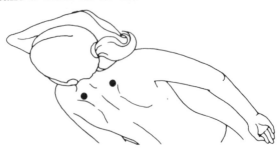

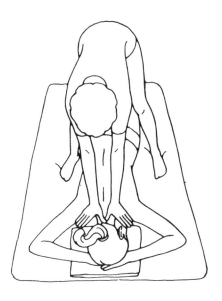

La base du crâne

Il faut changer de position pour cette séquence. D'abord, à cheval au-dessus de votre partenaire, vos pieds au niveau du bas de ses hanches, vous penchez le buste à partir de la taille, genoux fléchis, pour pouvoir travailler le cou de votre partenaire. Votre pouce droit posé sur le gauche touchera la base du crâne au milieu du haut de la nuque. Ce point porte le nom de « Porte silencieuse », et il est important parce qu'il stimule l'irrigation sanguine du cerveau.

1. Faire une pression intense (9 kg) sur ce point, exactement sous le bas du crâne. Trois secondes. Pause.

2. Nouvelle pression de trois secondes. Pause.

3. Troisième pression de trois secondes.

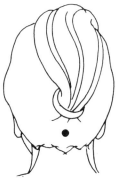

La nuque

Gardez la même position. Séparez les pouces et posez-les au sommet des muscles principaux qui descendent du haut de la nuque et rejoignent les épaules. Ces muscles sont appelés « les Colonnes du ciel ». Conjointement avec « la Porte silencieuse », ils jouent un rôle important dans la guérison des maux de tête et pour diminuer les angoisses. Appliquez le pouce gauche sur le haut du muscle gauche, là où il rejoint la base du crâne, et le pouce droit en haut du muscle droit.

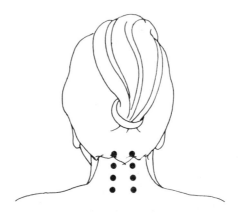

1. Pression intense (9 kg) sur les deux points durant trois secondes. Pause.

2. Vos pouces descendent de deux doigts environ sans quitter la partie musclée. Pression intense de trois secondes. Pause.

3. Continuez les pressions intenses le long des muscles en observant les mêmes intervalles. Le point terminal se trouve à la base du muscle, sur la ligne de l'épaule.

La colonne vertébrale

Après la tête et le cou, qui ont supporté de nombreuses pressions, votre partenaire éprouvera le besoin d'une détente et pourra tourner la tête pour appuyer joue et tempe sur le coussin ou la serviette pliée.

Toujours à califourchon, faites les pressions shiatzu tout le long de la colonne vertébrale à partir de l'os de la nuque. Si vous trouvez la position inconfortable ou fatigante, essayez de vous agenouiller à califourchon au-dessus de votre partenaire,

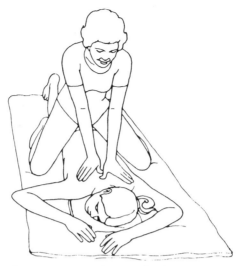

votre poids portant sur vos cuisses. Il importe, en tout cas, lorsque vous exercez la pression shiatzu, de le faire à bras tendus, le poids de votre corps se transmettant vers le bas à travers les pouces.

Commencez par la base du cou, juste derrière l'os de la nuque, facile à reconnaître au toucher, et qui se trouve sur la ligne de l'épaule. Comme je l'ai déjà expliqué, l'épine dorsale est le méridien régulateur, qui commande les facteurs d'un bon état général.

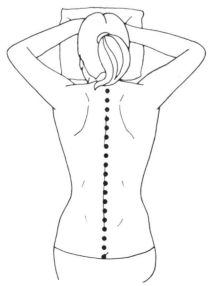

1. Appuyez le pouce droit sur la dépression qui suit l'os de la nuque et précède les vertèbres de la colonne vertébrale. Pression modérée (7 kg) de trois secondes. Pause.

2. Descendez le long des vertèbres et faites une pression modérée de trois secondes sur le creux suivant, avec le pouce gauche.

3. Pouces alternés, droit, puis gauche, suivez les dépressions creusées entre les vertèbres jusqu'au coccyx. Pression modérée sur chacun des points.

Les côtés droit et gauche de la colonne vertébrale

1. Revenez au-dessus de l'épaule de votre partenaire, posez le pouce gauche sur la ligne de l'épaule à un peu moins de deux centimètres à gauche de l'épine dorsale, et le pouce droit à la même distance sur la droite. Trois secondes de pression modérée. Pause.

2. Descendez d'environ deux doigts sur les mêmes lignes et, des deux pouces, refaites les mêmes pressions. Pause.

3. Continuez en descendant, et en observant le même intervalle, jusqu'à ce que vous arriviez au niveau du dernier point déjà traité, à la hauteur du coccyx.

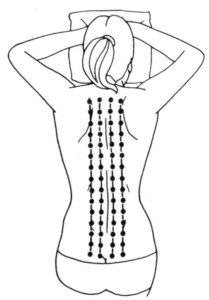

4. Remontez vers l'épaule, posez les pouces à environ quatre centimètres de l'épine dorsale. Refaites la séquence précédente, avec des pressions modérées (7 kg) jusqu'à la hauteur du dernier point précédemment traité.

LES OMOPLATES ET LE POSTÉRIEUR

Les omoplates

Toujours à cheval au-dessus de votre partenaire, soit debout, soit à genoux, ou encore assis(e) sur vos mollets, mais sans peser, tâtez l'omoplate droite jusqu'à ce que vous ayez localisé la partie fortement creusée qui se trouve au centre. Ce point très vulnérable au toucher porte le nom étrange et inexpliqué d'« Ancêtre céleste ». C'est un point important dans le traitement des tendinites, du torticolis, des douleurs d'épaules et des bursites.

1. Mettre les deux pouces côte à côte sur le creux central de l'omoplate. Trois secondes de pression intense (9 kg). Pause.

2. Recommencer la même pression.

3. Mêmes pressions des deux pouces sur le creux central de l'omoplate gauche.

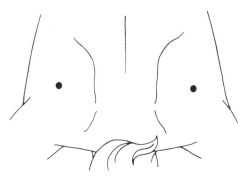

Le postérieur

Changez de position pour agir sur les fesses. Agenouillez-vous face à la hanche droite de votre partenaire, penchez-vous et localisez le point qui se trouve au-dessus de la partie la plus charnue de la fesse, exactement à la perpendiculaire du point de l'omoplate. Ce point est très sensible au toucher.

1. Les bras tendus, posez les pouces côte à côte au milieu de la dépression et pressez fortement (9 kg) pendant trois secondes. Pause.

2. Refaire cette même pression.

3. Passez à la gauche de votre partenaire, mettez-vous à genoux et refaites les mêmes pressions fortes de trois secondes sur la fesse gauche.

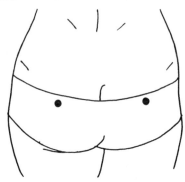

Avant de passer aux jambes et aux pieds, vous observerez un temps de repos, ainsi que votre partenaire. Il est probable que vous ressentirez une certaine raideur, sinon une légère douleur dans les pouces et dans les autres doigts, ce qui n'a rien de surprenant au cours d'une première séance de Shiatzu. Faites quelques flexions des doigts et des mains, respirez profondément et expirez lentement entre les dents. Après quoi, vous reprendrez le Shiatzu.

LES JAMBES ET LES PIEDS

Les séquences qui suivent concernent la jambe droite sur toute sa longueur, jusqu'à la plante du pied. Lorsque vous en aurez terminé avec le pied, vous passerez à la gauche de votre partenaire et répéterez la même séquence sur la jambe gauche.

La cuisse

Prenez position en vous agenouillant près du genou droit de votre partenaire. Les points situés sur le muscle de la cuisse suivent une ligne qui part du centre du muscle, lequel commence là où la fesse rejoint le haut de la cuisse, et qui descend jusqu'à un point situé exactement au-dessous du genou. Le point le plus

important et le plus sensible de la ligne allant de la fesse au genou se trouve à mi-parcours de cette ligne. On le désigne sous le nom de « Grande Porte ».

1. Placez les pouces l'un à côté de l'autre sur le point le plus haut juste sous la fesse. Pression intense (9 kg) de trois secondes. Pause.

2. Descendez de deux doigts en direction du genou et refaites la même pression profonde. Pause.

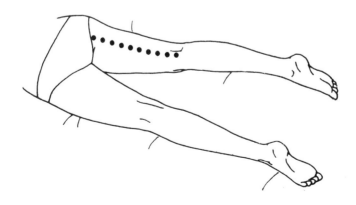

3. Continuez jusqu'au genou, en respectant l'intervalle de deux doigts. Même pression intense. Le dernier point est situé juste au-dessus de la pliure du genou.

La face externe de la cuisse

Les points de la face externe de la cuisse s'étagent sur une ligne partant du côté de la hanche, sous l'os iliaque, et descendant le long de la face externe de la hanche, en son milieu. Commencez sous la hanche pour finir près du genou.

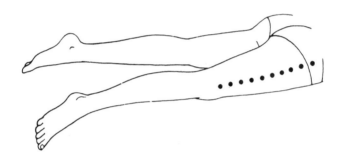

1. Les deux pouces se joignant côte à côte, pression intense (9 kg) de trois secondes. Pause.

2. Amenez les pouces deux doigts plus bas et répétez la même pression. Pause.

3. Continuez les pressions le long de la ligne partageant cette face externe de la cuisse, le long du muscle, en respectant le même intervalle entre les points, jusqu'au genou.

Déplacez-vous à la gauche de votre partenaire et penchez-vous pour lui donner le Shiatzu sur la face interne de la cuisse droite. Les points s'étagent sur une ligne qui commence en haut de la face interne de la jambe et divise la face interne du muscle de la cuisse. Cette ligne prend fin à hauteur du genou.

1. Les deux pouces se joignant côte à côte, pression intense (9 kg) de trois secondes. Pause.

2. Amenez les pouces deux doigts plus bas, et répétez la même pression. Pause.

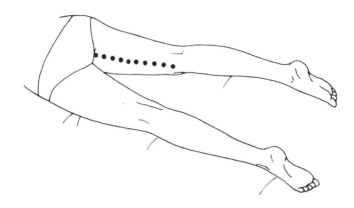

3. Continuez les pressions le long de la ligne partageant cette face interne de la cuisse, le long du muscle, en respectant le même intervalle entre les points, jusqu'au genou. Le dernier point se trouve au creux du genou, entre l'os et les tendons à l'arrière du genou.

Le muscle du mollet

Le Shiatzu se pratique sur le muscle du mollet à peu près de la même manière que sur celui de la cuisse. Installez-vous dans le prolongement du pied droit de votre partenaire, de façon à pouvoir atteindre le haut du mollet, juste sous le genou. Ce point, nommé « la Rencontre du Yang », est l'un des plus importants du corps. Lorsque les muscles de la jambe se raidissent, il devient extrêmement sensible. Le Shiatzu dénoue la tension. Posez les deux pouces l'un à côté de l'autre, tout en haut d'une ligne descendant vers l'arrière de la cheville.

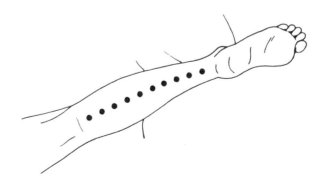

1. Appliquer une pression intense (9 kg) à l'aide des deux pouces sur le point situé en haut du muscle. Tenir trois secondes. Pause.

2. Descendre de deux doigts le long du milieu du muscle et renouveler la pression. Pause.

3. Continuez le long du muscle, toujours à deux doigts d'intervalle. Le point terminal se trouve là où le muscle s'aplatit au-dessus de la cheville.

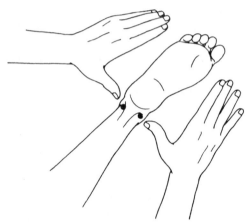

La cheville

Changez de position. Agenouillez-vous près du genou droit de votre partenaire, la tête tournée vers sa cheville. Penchez-vous et posez votre pouce droit sur l'arrière de la cheville au plus creux de la dépression creusée entre l'os de la cheville et le tendon d'Achille. Posez le pouce gauche sur le point correspondant de la partie extérieure de la cheville.

1. Pression modérée (7 kg) des deux pouces. Trois secondes. Pause.

2. Répétez cette même pression. Trois secondes.

La plante du pied

Placez-vous devant le pied droit de votre partenaire. Quatre points doivent recevoir une pression sur la plante du pied. Les trois premiers s'alignent sur une bissectrice du pied, l'un portant le nom très approprié de « Source d'énergie ». Ces points sont efficaces pour atténuer les sensations de fatigue et pour améliorer

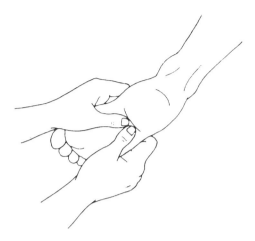

la circulation sanguine dans le corps tout entier. Le quatrième point est appelé « la Vallée de la plante des pieds » et se situe tout en haut de l'arrière de la voûte plantaire, au-dessus et légèrement en avant du premier point.

1. Tenez le pied entre vos mains et mettez les pouces côte à côte, juste devant le renflement du talon. Pression intense (9 kg) de trois secondes. Pause.

2. Amenez les pouces sur la partie la plus étroite du pied. Nouvelle pression intense (9 kg) de trois secondes. Pause.

3. Le troisième point se trouve juste derrière la partie charnue qui précède les orteils. Trois secondes de pression intense. Pause.

4. Déplacez les mains et mettez vos pouces l'un à côté de l'autre sur le point le plus haut de la voûte plantaire. Pression intense de trois secondes.

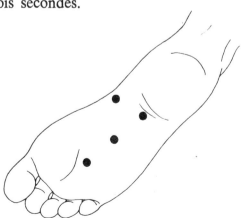

Il est temps maintenant de passer du côté de la jambe gauche de votre partenaire. Suivez les mêmes séquences et adoptez les positions décrites ci-dessus, à partir de la page 107 et passez de la cuisse à la plante du pied. Quand vous en aurez terminé avec la jambe gauche, votre partenaire se tournera sur le dos. Prenez alors quelques instants de repos. Respirez profondément à plusieurs reprises ; étendez et fléchissez les doigts et les mains pour les décontracter. Après quoi, vous vous sentirez en forme pour attaquer la seconde partie du Shiatzu avec un partenaire.

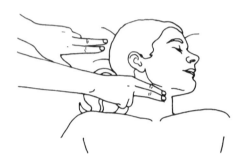

LE COU, LES BRAS, LES MAINS

Le cou

Agenouillez-vous à droite du buste de votre partenaire. Vous devez être en mesure d'atteindre aisément son cou sans raidir les bras. Bien que l'illustration vous montre les points spécifiques, ne les considérez qu'à titre d'indication générale. L'essentiel est de couvrir entièrement de pressions toute la surface du cou. Vous commencerez sous le maxillaire pour continuer jusqu'au bas du cou, en vous servant de l'index·et du médius des deux mains, la droite et la gauche alternant.

1. Placez l'index et le médius de la main droite sous la mâchoire, près du haut de la trachée. Faites une pression légère (4,5 kg) au sommet d'une ligne formée par le muscle qui suit la trachée. Evitez soigneusement de faire une pression directement sur celle-ci ; c'est sur le muscle qu'il faut appuyer. Deux secondes de pression. Pause.

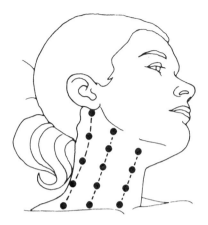

2. Refaites la même pression légère, à l'aide de l'index et du médius de la main gauche, exactement sous le point que votre main droite vient de presser.

3. Continuez le mouvement descendant sur le muscle, au long de la trachée, les mains droite et gauche alternant pour faire des pressions légères, jusqu'à ce que vous arriviez à la base du cou. En médecine orientale, c'est ce qu'on appelle « la Fontaine de beauté et de jouvence ».

4. Remontez les mains sous le maxillaire. Recommencez les pressions, les mains alternant au long d'une ligne descendant jusqu'à la base du cou.

5. Continuez les pressions du haut en bas du cou jusqu'à ce que vous ayez couvert le devant et les côtés du cou. Trois secondes pour chaque pression.

6. Passez à la gauche de votre partenaire et répétez la même séquence sur la gauche du cou.

Le haut du bras

Agenouillez-vous à une trentaine de centimètres de la hanche droite de votre partenaire. Penchez-vous et posez les pouces l'un à côté de l'autre à l'extérieur du muscle du bras, sur un point distant d'environ un centimètre et demi du haut de l'épaule, vos mains serrant doucement le bras.

1. Pression intense (9 kg) des pouces durant trois secondes. Pause.

2. Faites glisser les pouces à deux doigts du premier point sur un trajet allant du milieu du point d'épaule au côté du coude. Refaites la même pression. Pause.

3. Répétez ces pressions jusqu'au coude en maintenant entre les points un intervalle de deux doigts.

L'avant-bras

Sur l'avant-bras, les points suivent un trajet qui débute à la hauteur du coude, longe le milieu du dessus du bras et se termine au milieu du dessus du poignet. Poser les pouces côte à côte hors de l'articulation du coude, les autres doigts entourant l'avant-bras.

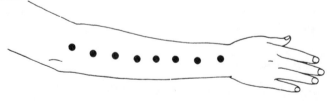

1. Pression intense (9 kg) de trois secondes sur le point voisin du coude. Pause.

2. A deux doigts de ce point, en descendant vers le poignet, faire des pressions jusqu'au milieu du dessus du poignet en respectant le même intervalle de deux doigts.

Le dos de la main

Les points shiatzu importants se situent entre les tendons, dans les légères dépressions allant du poignet jusqu'aux premières phalanges. Votre partenaire écartera les doigts de sa main droite.

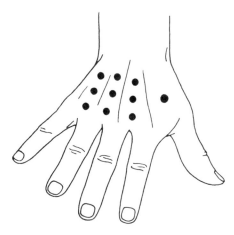

1. Posez le pouce droit sur le dos de la main de votre partenaire, sur la partie musclée qui saille au-dessus du creux de la jointure entre le pouce et la main. Posez le pouce gauche exactement de l'autre côté, sur la paume.

2. Serrez fort et donnez une pression intense (9 kg) pendant trois secondes. Ce point, très sensible, est connu en médecine orientale sous le nom de « Vallée ». Pause.

3. Posez les pouces sur la dépression suivante, entre l'index et le médius, à mi-chemin entre le poignet et la première articulation. Vous suivrez le même trajet sur la paume avec votre index.

4. Pression modérée (7 kg) en serrant pendant trois secondes. Pause.

5. En descendant au long de la dépression creusée entre les tendons du médius et de l'annulaire, puis entre l'annulaire et le petit doigt, renouvelez les mêmes pressions modérées (7 kg).

6. Répétez toute l'opération dans les creux entre les tendons du majeur et de l'annulaire, puis à nouveau dans les creux entre l'annulaire et l'auriculaire.

Les doigts

La médecine orientale attribue au pouce une relation avec les fonctions du poumon, tandis que l'index serait relié au gros intestin, le médius au cœur et l'annulaire aux systèmes respiratoire, digestif et circulatoire, le petit doigt au cœur. Je crois que le Shiatzu des doigts a une grande importance pour maintenir les organes en bonne condition. Le pouce et chacun des doigts doivent recevoir des pressions sur leurs extrémités, à la base et sur les côtés de chaque phalange.

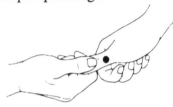

1. Commencez par le pouce droit de votre partenaire. Mettez votre pouce au milieu du pouce de votre partenaire, entre l'articulation intérieure et la première phalange. Votre index appuiera en-dessous, exactement à l'opposé. Pression modérée (7 kg). Trois secondes.

2. Remontez à l'extrémité du pouce. Posez votre pouce à la base de l'ongle du pouce de votre partenaire. Votre index appuiera sur la partie correspondante du dessous du pouce. Serrez des deux côtés. Pression modérée de trois secondes.

3. Revenez à l'articulation inférieure et au milieu de la phalange, et faites une pression modérée en serrant simultanément les deux côtés du pouce. Pause.

4. Répétez cette pression sur les côtés du pouce.

5. Chacun des doigts de votre partenaire recevra une pression du même type sur le dessus et le dessous du doigt, puis sur les côtés. Vous passez ensuite au doigt suivant.

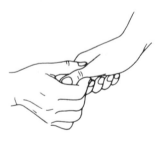

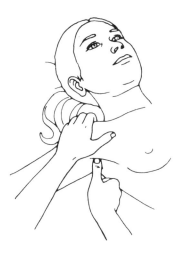

L'aisselle

Agenouillez-vous à un mètre environ du buste de votre partenaire, de façon à toucher sans effort son aisselle gauche. Vous lui tournerez légèrement le bras, qui doit être écarté du corps afin de dégager l'aisselle.

Vous suivez une ligne descendant du milieu de l'aisselle, en longeant le trajet du muscle là où il rencontre le dessous de l'humérus, pour finir au creux de la saignée. Le point du milieu de l'aisselle porte le nom de « Fond de l'étang », car c'est de là que le sang part irriguer le bras tout entier.

1. Dans la main gauche, prenez la courbe de l'épaule droite de votre partenaire et posez le pouce droit sous l'aisselle.

2. Pression intense (9 kg) de deux secondes. Pause. Ce point est très sensible. Attendez-vous à une réaction bruyante de votre partenaire si vous appuyez à fond et au bon endroit.

3. Laissez s'apaiser votre partenaire et, des deux pouces posés l'un à côté de l'autre, les autres doigts autour du bras, donnez une forte pression (9 kg) de trois secondes. Pause.

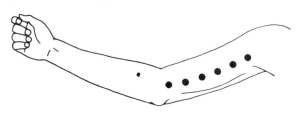

4. Suivez la ligne du muscle jusqu'au coude, en laissant entre les points que vous presserez un intervalle de deux doigts. Trois secondes de pression intense. Pause.

5. Continuez les mêmes pressions des pouces, en respectant les mêmes intervalles de deux doigts, jusqu'à la saignée du coude.

L'avant-bras

Sur la face interne de l'avant-bras, les points s'échelonnent sur un trajet partant du milieu de la saignée jusqu'au milieu du poignet, côté paume.

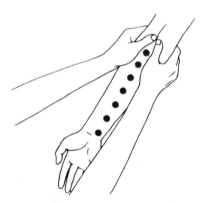

1. Placez les pouces côte à côte au milieu de la saignée, les mains serrant doucement le bras à l'articulation du coude.

2. Pression intense (9 kg) des deux pouces bien enfoncés dans la saignée. Ce point est particulièrement sensible.

3. A deux doigts du premier point, sur une ligne qui passe au milieu de l'avant-bras dans le sens de la longueur, trois secondes de pression intense. Pause.

4. Continuez jusqu'au milieu du poignet, en laissant toujours deux doigts d'intervalle entre les points.

La paume de la main

On compte trois points justiciables d'une pression dans la paume de chaque main. Le premier au milieu du muscle de la partie renflée de la paume, le deuxième exactement en retrait de ce muscle, là où il s'enfonce dans la paume. Le troisième, appelé « Temple de la fatigue », est efficace lorsqu'on soigne des sujets fatigués, et il contribue à améliorer la circulation sanguine. Il se loge au centre précis de la paume de la main.

1. Tenez la main de votre partenaire, paume en l'air, en posant le petit doigt de votre main droite entre le petit doigt et l'annulaire de votre partenaire. Placez le petit doigt de votre main gauche entre l'index et le pouce de votre partenaire.

2. Des deux pouces à la fois, pressez fortement (9 kg) le milieu du muscle à la jonction paume-poignet. Trois secondes. Repos.

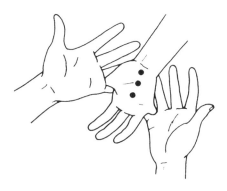

3. Renouvelez cette pression sur chacune des articulations du centre de la paume, durant trois secondes.

Déplacez-vous pour vous mettre à la portée du bras gauche de votre partenaire. Répétez les séquences concernant le haut du bras, l'avant-bras, les mains, les doigts, la face interne du bras, de l'avant-bras et de la paume. Lorsque vous aurez terminé le cycle complet, vous éprouverez le besoin de vous reposer. C'est un moment bien choisi pour le faire.

LES JAMBES, LES PIEDS ET LES ORTEILS

La cuisse

Agenouillez-vous auprès de la jambe droite de votre partenaire, la tête tournée vers la hanche. Sur le dessus de la cuisse, les points shiatzu suivent le milieu du muscle tenseur, à partir de l'articulation de la hanche à un point situé au-dessus du milieu du genou.

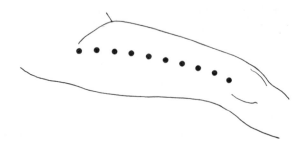

1. Posez les deux pouces côte à côte au milieu du haut de la cuisse. Vos mains enveloppant le muscle sans serrer. Trois secondes de pression intense (9 kg). Pause.

2. Descendez vos pouces de deux doigts en direction du genou. Pression intense de trois secondes. Pause.

3. Continuez jusqu'au point situé au-dessus du genou. Pressions intenses, à deux doigts d'intervalle entre chaque point.

La jambe

Agenouillez-vous approximativement à trente centimètres de la jambe de votre partenaire, juste en face. Penchez-vous et posez vos deux pouces côte à côte sur la face externe du tibia, en suivant le trajet du muscle, exactement sous le genou. Vos doigts entoureront la jambe et saisiront l'autre côté du tibia, afin de le serrer entre le pouce et les autres doigts. Vos doigts s'empareront ainsi d'un point nommé « Marche de cinq kilomètres ». Autrefois, les Japonais, après une longue marche, avaient coutume de s'arrêter dans les auberges et de s'y faire faire une « mogusa », procédé thérapeutique qui consiste à brûler sur la peau une petite quantité d'herbe appelée « moxa », et qui agit comme révulsif ou cautère. Ou bien ils se faisaient piquer à l'acupuncture sur ce point, pour éliminer la fatigue de la jambe et les crampes du mollet.

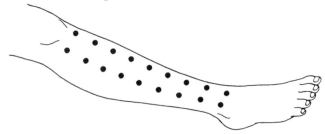

1. Commencez par le haut du tibia et exercez une forte étreinte des pouces (9 kg) et des autres doigts en même temps, pour obtenir la pression désirée. Pause.

2. Descendez de trois doigts en direction de la cheville. Même pression des pouces et des doigts, trois secondes. Pause.

3. Poursuivez cette pression le long de la jambe, jusqu'à la cheville. Le dernier point est juste au-dessus du cou de pied.

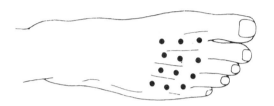

Le pied

Prenez position en face du pied de votre partenaire en vous agenouillant auprès du genou droit. Les points, sur les pieds, sont similaires à ceux des mains. Ils sont situés sur les légères dépressions qui séparent les tendons du métatarse conduisant aux orteils. Commencez par le pied droit.

1. Les pouces côte à côte à trois bons centimètres du bas du gros orteil et du doigt de pied suivant, sur la dépression creusée entre les tendons, vos index serrant bien la plante du pied.

2. Pression modérée (7 kg) de trois secondes. Pause.

3. Remontez à mi-hauteur des orteils. Pression modérée de trois secondes. Pause.

4. Le troisième point se situe à la fin de la dépression. Trois secondes de pression modérée. Pause.

5. Refaire la séquence entre les autres tendons.

Les orteils

Commencez par le gros orteil. Là encore, comme pour les doigts de la main, les points sont entre les articulations, en haut, en bas et sur les côtés de chaque phalange.

1. Votre pouce droit posé en haut de la première phalange du gros orteil, votre index se placera directement en dessous, sur le point correspondant. Trois secondes de pression modérée (7 kg). Pause.

2. Mettez le pouce sur la base de l'ongle de l'orteil et l'index exactement en dessous sur le point correspondant. Trois secondes de pression modérée. Pause.

3. Revenez à la première phalange du gros orteil. Pressez les deux côtés du milieu de l'orteil en appuyant fort. Trois secondes. Pause. Répétez la même pression sur les côtés de la deuxième phalange.

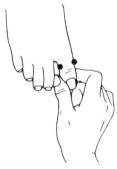

4. Chaque orteil recevra la même pression dans l'ordre décrit pour cette séquence. Continuez, d'abord en haut, et sous chaque phalange, puis en bas et enfin sur les côtés.

Passez ensuite à la gauche de votre partenaire et répétez les séquences intéressant la cuisse, la jambe, les pieds et les orteils.

Vous en avez maintenant presque terminé avec les séquences shiatzu. Votre partenaire devrait éprouver une sensation de grande détente, alors que, pour vous, sans entraînement préalable à cette sorte de massage, c'est le besoin de repos qui se fait sentir. Secouez mains et bras, faites quelques respirations profondes avant d'attaquer les séquences finales qui concernent la tête et le visage de votre partenaire.

La tête et le visage

Le sommet de la tête

Le Shiatzu sur le dessus de la tête est très efficace pour détendre votre partenaire et lui procurer une sensation d'euphorie. Vous commencerez par la partie comprise entre la ligne d'implantation des cheveux et le périmètre de la chevelure.

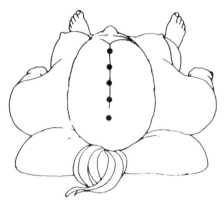

1. Posez les deux pouces l'un à côté de l'autre au milieu de la ligne des cheveux, sur la « pointe des veuves ». Trois secondes de pression modérée (7 kg). Pause.

2. Ramenez les pouces de deux doigts en arrière sur une ligne imaginaire qui séparerait la chevelure comme une raie médiane. Trois secondes de pression modérée (7 kg). Pause.

3. Continuez ainsi jusqu'au bas de la calotte, en laissant un intervalle de deux doigts entre les points. Faites trois secondes de pression modérée sur chaque point.

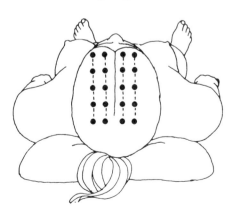

4. Ramenez vos mains au milieu du haut du front, à la racine des cheveux et séparez-les. Votre pouce droit se pose au tiers de la distance comprise entre le milieu et le côté droit de la tête, le pouce gauche à la même distance du côté gauche. Pression modérée (7 kg) de trois secondes. Pause.

5. Ramenez les pouces plus en arrière sur la tête, à deux doigts de distance. Trois secondes de pression modérée. Pause.

6. Continuez les pressions en laissant un intervalle de deux doigts jusqu'à ce que vous arriviez au bas de la calotte crânienne.

7. Revenez au haut du front et placez vos pouces à une même distance des côtés de la tête. Pression modérée de trois secondes, en laissant deux doigts d'intervalle entre les points, jusqu'au bas de la calotte.

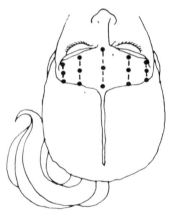

Le front

Les points du front suivent cinq lignes verticales. La première descend de la « pointe des veuves » et s'arrête entre les sourcils. Les deux suivantes descendent jusqu'au milieu des sourcils. Les deux dernières s'arrêtent à la pointe des sourcils.

1. Toujours à genoux derrière la tête de votre partenaire, vous vous penchez et posez vos pouces l'un à côté de l'autre au milieu du front, à la racine des cheveux.

2. Pression modérée (7 kg) de trois secondes. Pause.

3. Déplacez les pouces de deux doigts. Pression modérée de trois secondes. Pause.

4. Descendez entre les sourcils. Même pression.

5. Revenez à la racine des cheveux ; séparez les pouces et posez le pouce droit sur le point de départ de la ligne qui finit au milieu du sourcil, le pouce gauche sur le même point à gauche. Trois secondes de pression modérée.

6. Continuez jusqu'au milieu des sourcils. Pressions modérées.

7. Reprenez à la racine des cheveux, à deux doigts des derniers points, et faites trois pressions modérées jusqu'à la pointe extérieure des sourcils.

Les yeux

Les points concernant les yeux se situent sur le bord interne des orbites. Vous vous servirez de l'index de chaque main pour presser simultanément l'œil gauche et l'œil droit. Si votre partenaire porte des verres de contact, il faut les retirer.

1. Posez l'index sur l'arête supérieure de chaque orbite, aussi près du nez que possible.

2. Pression légère (4,5 kg) sur le bord interne de l'orbite pendant trois secondes. Pause.

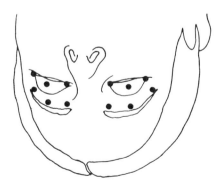

3. Déplacez vos doigts d'un bon centimètre le long de vos sourcils, en allant vers les tempes. Renouvelez les pressions légères de trois secondes, le bout charnu de vos index restant bien sur le bord interne de l'os orbital.

4. Mêmes pressions en observant les mêmes intervalles.

5. L'index et le médius de chaque main posés sur les paupières fermées de votre partenaire, vous donnez de faibles pressions (400 à 1 200 g) du plat du bout des doigts. Trois secondes. Changez de position pour continuer. Agenouillez-vous près de la taille de votre partenaire.

1. Trois secondes de pression légère (4,5 kg) sur le bord interne de l'os orbital inférieur. Pause.

2. A un doigt du premier point, refaire la même pression sur le bord inférieur des orbites. Pause.

3. Même pression à la même distance sur l'extrémité du dessous de l'orbite.

Les joues

Reprenez votre position au-dessus de la tête de votre partenaire. Sur les pommettes, vous presserez avec le bout de l'index, sur l'ongle duquel appuiera le médius. Ceci pour les deux mains.

1. Pression modérée (7 kg) sur le bord extérieur et supérieur du nez, très légèrement plus bas que le creux séparant les sourcils. Vous presserez les deux côtés du nez en même temps, trois secondes. Pause.

2. Déplacez d'un doigt sur l'os des pommettes vos index et médius. Trois secondes de pression modérée (7 kg). Pause.

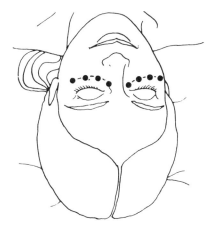

3. Avancez d'un doigt sur les pommettes. Trois secondes de pression modérée. Pause.

4. Encore à un doigt de distance, pressez durant trois secondes modérément.

La bouche et le menton

Il y a quatre points près de la bouche. Le premier se trouve à mi-chemin entre le bout du nez et la lèvre supérieure. Le second et le troisième sont sur les joues, à trois doigts des commissures des lèvres. Le quatrième est dans le petit renfoncement à mi-chemin entre la lèvre inférieure et le bas du menton.

1. Servez-vous du pouce droit pour presser modérément (7 kg) sur le point entre le nez et la lèvre supérieure.

2. Tenez trois secondes. Pause.

3. Des deux pouces, pressez simultanément sur les deux points proches des coins de la bouche (7 kg). Trois secondes. Pause.

4. Mettez le pouce sur le point situé entre la lèvre inférieure et le bas du menton. Pression modérée de trois secondes.

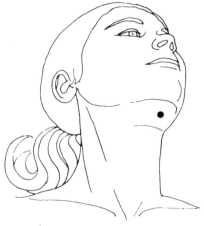

Le dessous du menton

Passez à la droite de votre partenaire ; agenouillez-vous au niveau de sa taille. Le point du dessous du menton se loge à l'arrière du bas de la mâchoire inférieure. Mettez le gras de l'index dans la légère cavité qui suit l'os.

1. Pression modérée (7 kg) de trois secondes. Pause.

2. Renouvelez la pression.

Les tempes

Revenez au-dessus de la tête de votre partenaire. Les derniers points sont sur les tempes droite et gauche. Vous traiterez les deux côtés simultanément.

1. Servez-vous des deux mains. Posez le bout de vos médius sur vos index. Localisez les légers enfoncements latéraux des tempes. Pression modérée (7 kg) sur les deux tempes.

2. Tenez trois secondes. Pause.

3. Renouvelez cette pression.

Exercices terminaux

Les séquences de pression shiatzu sont maintenant achevées. Ne restent plus à faire que les mouvements complémentaires de relaxation.

1. Votre partenaire étendra les bras derrière sa tête, sur le sol.

2. Serrez ses mains dans les vôtres et tirez sur ses bras autant que vous pouvez.

3. Faites-lui étirer jambes et doigts de pied et aspirer l'air longuement par le nez.

4. Faites-lui expirer lentement cet air par la bouche. En même temps, dites-lui de détendre jambes et orteils et de laisser aller ses mains.

Votre partenaire restera encore cinq minutes, au moins, à se reposer avant de se lever. Lorsqu'elle — ou il — se relèvera, il est possible qu'un léger étourdissement la — ou le — saisisse, ou que sa tête lui semble vide. Mais cette impression ne dure que quelques secondes. Après cela, c'est un sentiment de profonde satisfaction et d'accomplissement qui se fait jour, ainsi qu'une sensation de picotements chaleureux de la tête aux pieds.

Au cours des jours qui suivent un Shiatzu complet avec un partenaire, la personne qui en a bénéficié peut éprouver divers effets secondaires. On se sent souvent totalement détendu, calme, et enclin au sommeil après ce Shiatzu. On dort profondément au cours de la nuit qui suit la séance. Le lendemain, on se sent toujours détendu, mais un peu fatigué. Puis, le deuxième jour, on éprouve une sensation intense de bien-être physique et affectif. Une énergie nouvelle anime le corps et on se sent prêt à travailler au maximum de ses capacités. Suivant les personnes, cet état dure de deux à cinq jours.

Un autre effet peut avoir lieu, immédiatement celui-là : un flux d'énergie envahit votre corps après le Shiatzu que votre partenaire vous a donné. Les bénéficiaires du Shiatzu se sentent non seulement détendus mais aussi pleins d'énergie et de joie de vivre, presque euphoriques ; certains comparent cet état à l'ivresse.

Il se prolonge durant quelques heures après le Shiatzu. Puis on ressent soudain une fatigue pesante, malgré laquelle le sommeil nocturne sera agité. Le lendemain, on se sentira détendu, mais encore un peu fatigué. Après un profond sommeil pendant la nuit suivante, le réveil sera heureux ; on se sentira en forme, débordant d'énergie physique et mentale. Selon les individus, cet état agréable durera de deux à cinq jours.

En raison des réactions individuelles fortement diversifiées pour chacun à la suite d'un Shiatzu complet, j'estime que le moment idéal pour le donner et le recevoir est soit la fin de l'après-midi, soit le début de la soirée, et, si l'on veut obtenir les meilleurs résultats, et les plus durables, il faut laisser de cinq à sept jours d'intervalle entre deux séances. La régularité a une grande importance pour retirer les véritables bienfaits du Shiatzu, qui sont : santé, vitalité et sérénité.

DEUXIÈME PARTIE

L'acupuncture sans aiguilles (Shiatzu) pour remédier aux troubles fonctionnels

CHAPITRE VII

L'insomnie
complète sur soi-même

L'un des effets les plus spectaculaires et les plus bénéfiques du Shiatzu est de procurer une bonne nuit de sommeil.

J'ai souvent pratiqué le Shiatzu sur des personnes affligées de problèmes spécifiques concernant le sommeil. Il m'est arrivé de traiter un homme de soixante-deux ans qui souffrait régulièrement d'insomnie depuis quarante ans. Il ne parvenait à s'endormir qu'avec des somnifères. De réputation mondiale — son opinion faisait autorité en peinture —, il jouait un rôle actif dans de multiples organisations internationales. Une vitalité débordante se doublait chez lui d'une sensibilité excessive et d'un caractère explosif.

Dès sa première séance de Shiatzu, il dormit mieux et se sentit très détendu. Chacune des séances suivantes facilita son sommeil, et, au bout de deux mois de soins, il renonça aux barbituriques, car il dormait sans difficultés.

En traitant des insomniaques selon la technique shiatzu, je me suis aperçue de la raideur extrême qui caractérisait leurs muscles du cou, sans exception. C'est pourquoi j'apporte une attention toute particulière aux muscles du cou lorsque j'applique le Shiatzu à des insomniaques. En outre, je m'attache aux muscles de l'épaule et de l'abdomen.

Si vous — ou votre partenaire — éprouvez des difficultés à trouver le sommeil, une application de Shiatzu, le soir, à l'heure du coucher, vous apportera un secours immédiat. Vous poursuivrez ces exercices nocturnes tant que vos problèmes d'insomnie n'auront pas disparu. Le délai nécessaire pour parvenir au résultat souhaité varie avec l'âge, la condition physique, le temps qu'a duré votre état d'insomniaque et le genre de vie que vous menez. **Tous ces facteurs entrent en jeu, mais une fois que vous aurez vaincu l'insomnie, vous pourrez en prévenir le retour avec deux applications de Shiatzu par semaine. Auparavant, un bain chaud détendra vos muscles et rendra plus efficace le Shiatzu pour combattre l'insomnie.**

LE SHIATZU PAR VOUS-MÊME CONTRE L'INSOMNIE

Le dessus de la tête

Asseyez-vous au bord de votre lit pour entamer cette séquence de Shiatzu sur vous-même. Posez l'index, le médius et l'annulaire des deux mains, le bout des doigts se touchant, sur le haut de la tête.

1. Trois secondes de pression intense. Pause.
2. Faire la même pression. Pause.
3. Renouvelez encore une fois cette pression.

La base du crâne

L'index, l'annulaire et le médius des deux mains derrière la tête, sur la légère cavité du haut de la nuque, juste sous la base du crâne.

1. Pression intense (9 kg) de trois secondes. Pause.
2. Renouvelez la pression. Pause.
3. Renouvelez une fois encore la pression. Pause.
4. Ecartez les deux mains à deux doigts de ce premier point, à droite comme à gauche. Avec l'index, le médius et l'annulaire

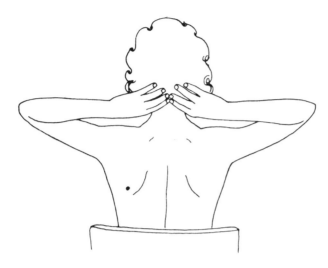

des deux mains, pressez simultanément les deux points fortement (9 kg). Pause.

5. Répétez ces pressions à deux reprises.

6. Eloignez encore vos mains à deux doigts de distance, toujours sous la base du crâne. Pression intense (9 kg) des trois doigts de chaque main simultanément. Pause.

7. Refaire deux fois encore cette même pression.

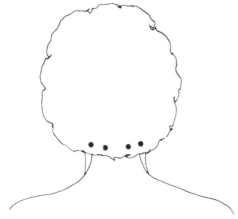

Les muscles du cou

Mettez les trois doigts du milieu de la main gauche tout en haut du gros muscle qui descend sur la gauche de la nuque, partant du bas de la calotte crânienne, pour finir sur l'épaule.

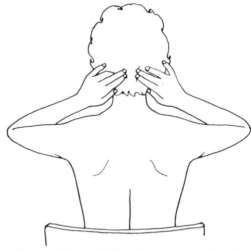

L'index, le médius et l'annulaire de votre main droite se poseront sur le point correspondant à la droite de la nuque.

1. Pressez les deux points simultanément (9 kg) durant trois secondes. Pause.

2. Répétez cette pression. Pause.

3. Répétez encore une fois. Pause.

4. Descendez de deux doigts le long du muscle, vos doigts appuyant sur les cordons des muscles. Pression intense (9 kg) de trois secondes. Pause.

5. Refaites deux fois la même pression.

6. Continuez en suivant les muscles de la nuque, à deux doigts d'intervalle entre les points, les pressions fortes (9 kg) de trois secondes, avec une seconde d'arrêt entre deux pressions. Les derniers points se trouvent au bas des muscles, sur le haut de l'omoplate.

Les épaules

Cherchez le point avec vos doigts de la main gauche sur le haut de votre épaule droite. Il se trouve à mi-chemin entre le bas de la nuque et le bord de l'épaule. Essayez de le trouver un peu en arrière du muscle de l'épaule. Lorsque vous arrivez au point le plus sensible, vous y êtes.

1. De l'index et du médius de la main gauche, pression intense de trois secondes. Pause.

2. Répétez cette pression. Pause.

3. Répétez encore une fois cette pression. Pause.

4. Refaites cette séquence sur l'épaule gauche avec l'index et le médius de la main droite.

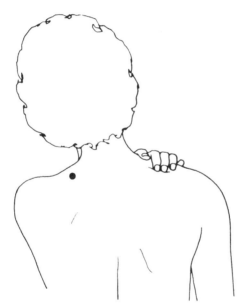

Le haut du dos

Cette séquence exige un sérieux étirement des bras, mais si vous n'arrivez pas au début à toucher le point désigné, ne vous inquiétez pas : plus vous pratiquerez le Shiatzu contre l'insomnie, plus vous trouverez le mouvement facile.

Portez la main gauche derrière l'épaule droite aussi loin vers le bas que possible à droite de l'épine dorsale. Servez-vous de l'index, du médius et de l'annulaire, celui-ci touchant l'épine dorsale.

1. Pression intense (9 kg) de trois secondes avec les trois doigts simultanémeñt. Pause.

2. Refaites la même pression. Pause.

3. Renouvelez cette pression. Pause.

4. Remontez d'environ deux doigts vers l'épaule, vos trois doigts restant entre l'épine dorsale et l'omoplate. Trois secondes de pression intense (9 kg). Pause.

5. Répétez deux fois encore cette pression. Pause.

6. Remontez encore de deux doigts et faites trois fois de suite des pressions fortes (9 kg) de trois secondes, comme les précédentes.

7. Remontez encore de deux doigts. Vous devez vous trouver maintenant sur l'omoplate. Refaites trois pressions intenses.

8. Amenez ensuite votre main droite sur votre épaule gauche aussi bas que vous pouvez, près de l'épine dorsale, et refaites toutes les séquences précédentes sur le côté gauche de l'épine dorsale.

Le bas du dos

Appuyez les trois doigts du milieu au niveau de la taille, vos deux mains de chaque côté de l'épine dorsale. Le médius de chacune des mains doit se trouver à deux doigts environ de l'épine dorsale.

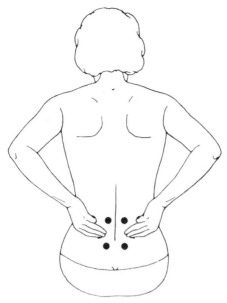

1. Pression modérée (7 kg) des trois doigts des deux mains simultanément durant trois secondes. Pause.

2. Répétez la même pression. Pause.

3. Descendez deux doigs plus bas et refaites une pression modérée sur cette partie du dos. Pause. Nouvelle pression et pause.

4. Descendez encore de deux doigts. Vous devez être au-dessus des fesses, presque à leur niveau. Pression modérée (7 kg) des deux mains simultanément, une pause, et répétez la même pression.

La plante des pieds

Posez la cheville droite sur votre genou gauche. Sur la plante des pieds, on trouve quatre points indiqués pour les pressions. Les trois premiers s'alignent sur une bissectrice du pied, du milieu du talon à l'orteil médian. Le quatrième est en haut de la voûte plantaire, près du coin du talon.

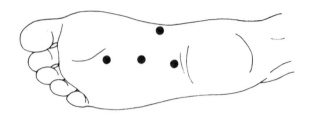

1. Vos mains entourent le pied et vous mettez vos deux pouces côte à côte devant le talon. Trois secondes de forte pression (9 kg). Pause.

2. Amenez les pouces sur la partie étroite du pied et refaites la même pression. Pause.

3. Descendez jusqu'à la partie renflée précédant les orteils et renouvelez la même pression. Pause.

4. Revenez maintenant au point le plus haut de la voûte plantaire. Trois secondes de pression intense. Pause.

5. Revenez à 1 et refaites la séquence deux fois encore.

6. Posez le pied gauche sur votre genou droit et reprenez toute la séquence qui précède, que vous répéterez trois fois.

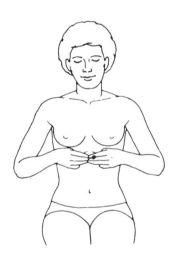

L'abdomen

Bien que toutes les séquences qui vont suivre impliquent la station assise, vous pouvez fort bien les faire étendu (e).

Les points de l'abdomen suivent cinq lignes verticales du haut en bas du ventre, entre le bas de la cage thoracique et l'aine. La première descend au milieu de l'abdomen. Puis, de chaque côté de cette première ligne de points, deux autres lignes. Enfin, les deux dernières encore un peu plus loin du milieu de l'abdomen. Vous commercerez par les points du milieu avant de passer aux quatre lignes suivantes.

1. L'index, le médius et l'annulaire des deux mains se rencontrent sous le sternum, au milieu de la cage thoracique. Pression modérée (7 kg) de trois secondes. Pause.

2. Descendez de deux doigts et refaites la même pression. Pause.

3. Continuez à descendre sur cette même ligne de points, en laissant chaque fois un intervalle de deux doigts et en appliquant une pression modérée sur chaque point, jusqu'à l'aine.

4. A quatre doigts d'intervalle de la ligne centrale, posez les deux mains sous les côtes. Pression modérée des trois doigts du milieu, pendant trois secondes. Pause.

5. Descendez le long de cette ligne, en laissant chaque fois deux doigts d'intervalle, et faites trois secondes de pression modérée (7 kg) sur chaque point, jusqu'à la base du tronc.

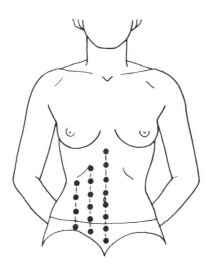

6. Sous la plus basse côte, à quatre doigts des points que vous venez de presser, mettez les trois doigts du milieu de chaque main. Pression modérée (7 kg) de trois secondes. Continuez en descendant jusqu'à l'articulation de la jambe, en laissant deux doigts d'intervalle entre les points.

7. Refaites les mêmes séries de pression à gauche de la ligne centrale, dont vous vous écartez de quatre doigts. Laissez deux doigts d'intervalle entre les différentes pressions, comme au cours de la séquence précédente, jusqu'à ce que vous arriviez à la base du tronc.

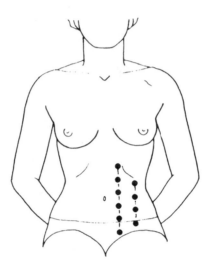

8. Quatre doigts plus loin, sur la gauche, répétez la séquence jusqu'au départ de la jambe.

9. Pour finir, posez les paumes de vos mains sur votre ventre. Avec les deux paumes, faites sur le ventre des pressions légères et insistez sur les parties que vous sentez les plus tendues jusqu'à ce qu'elles reprennent leur élasticité.

Le devant et les côtés du cou

Pour les points du cou, servez-vous de l'index, du médius et de l'annulaire des deux mains. Les points spécifiques que vous montre le dessin de cette page ne sont là qu'à titre d'indication générale. L'important est de couvrir de pressions la surface désignée. Vous exercerez les pressions des deux mains en même temps.

1. Posez l'index, le médius et l'annulaire de la main droite sous le maxillaire, à droite du haut de la trachée, et les mêmes doigts de la main gauche au même endroit du côté gauche. Pression légère de deux secondes. Appuyez sur le muscle, non sur la trachée. Pause.

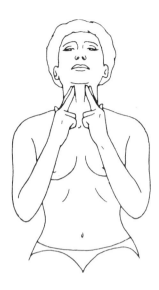

2. Déplacez légèrement les deux mains en direction du bas du cou et continuez les pressions légères jusqu'à la base du cou.

3. Retournez au point de départ sous la mâchoire, un peu plus loin sur les côtés. Refaites les mêmes pressions des deux côtés du cou en descendant vers le bas.

4. Même procédure, pressions légères du haut du cou jusqu'à la base, en commençant chaque fois un peu plus loin sur les côtés jusqu'à ce que vous ayez couvert de pressions tout le devant et les côtés.

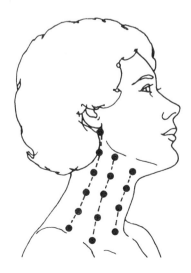

Les tempes

Il y a deux points de chaque côté de la tête. Faites les pressions simultanément sur les deux côtés à l'aide de l'index sur lequel s'appuie le bout du médius.

1. Mettez vos doigts sur les points situés dans les dépressions qui se trouvent à environ deux doigts des coins des yeux et légèrement plus haut.

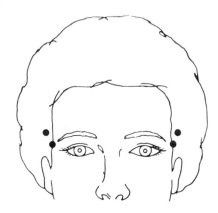

2. Pression modérée (7 kg) de trois secondes. Pause.

3. Portez les mains sur les deux autres points, un doigt plus haut et deux doigts plus en arrière, et refaites la même pression.

La paume des mains

Quatre points se trouvent sur la paume. Les trois premiers suivent une ligne allant du milieu du poignet à la naissance du médius. Le quatrième est sur le renflement entre le poignet et le pouce.

1. Mettez votre pouce gauche au centre de la partie charnue de la paume droite. Vos autres doigts entourent le dos de la main. Pression intense (9 kg) de trois secondes. Pause.

2. Déplacez votre pouce au centre de la paume droite et refaites une pression intense de trois secondes. Pause.

3. Le pouce gauche sur la partie charnue qui précède le médius, faites une pression intense. Pause.

4. Appuyez sur la base charnue du pouce. Pression intense (9 kg).

5. Revenez au point de départ et recommencez toute la séquence sur la paume de la main droite.

6. Refaites entièrement la même séquence sur la main gauche, deux fois de suite.

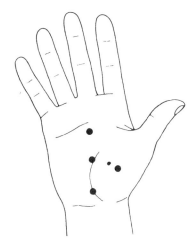

Les yeux

Les points qui entourent les yeux sont sur le bord interne des orbites. Servez-vous de l'index, du médius et de l'annulaire de la main gauche pour l'œil gauche et des mêmes doigts de la main droite pour l'œil droit. Si vous portez des lentilles de contact, retirez-les.

1. Ecartez légèrement les doigts et posez les extrémités sur le bord interne de l'arête supérieure de l'orbite. L'annulaire de chaque main doit être aussi prêt du nez que possible. Faites les pressions du bout de vos doigts en appuyant sur le haut de l'os orbital. Pression légère (4,5 kg) de trois secondes. Pause.

2. Les doigts légèrement plus bas, posez-en les bouts sur vos paupières fermées. Légère pression (de 800 à 1 200 g) de trois secondes. Pause.

3. Courbez légèrement les doigts et appuyez sur le bord interne de l'os de l'orbite inférieure. Pression légère (4,5 kg) de trois secondes.

4. Recommencez toute la séquence.

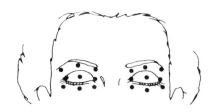

Exercices terminaux

Allongez-vous sur le dos ; étirez bien vos bras, vos jambes et vos orteils, et aspirez lentement par le nez. Laissez vos muscles se détendre peu à peu, tout en expirant par la bouche, dans un léger sifflement. Répétez six fois au moins cet exercice.

LE SHIATZU A DEUX CONTRE L'INSOMNIE

Le Shiatzu avec un partenaire pour lutter contre l'insomnie comporte des exercices prévus pour être faits confortablement sur un lit. Votre partenaire s'étendra à plat ventre pour la première séquence. Comme vous n'aurez pas assez de place sur votre lit pour vous tenir au-dessus de la tête de votre partenaire, installez-vous à califourchon, le poids portant sur vos jambes.

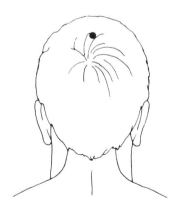

L'arrière de la calotte crânienne

Le premier point se trouve au milieu du dessus de la calotte crânienne.

1. Vous mettez l'index et le médius des deux mains sur ce point. Pression intense de trois secondes. Pause.

2. Répétez cette pression profonde. Pause.

3. Répétez la même pression une fois de plus.

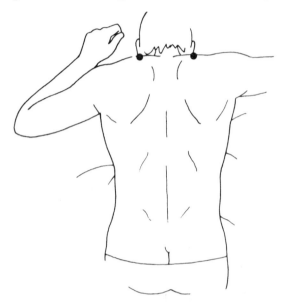

Les points du milieu de l'épaule

Etendez le bras droit, mettez l'index et le médius de la main droite au centre de l'épaule droite de votre partenaire.

1. Pression profonde (9 kg) de trois secondes. Pause.

2. Répétez cette pression profonde pendant trois secondes. Pause.

3. Refaites de nouveau cette même pression. Pause.

4. Inversez la position de vos mains ; placez votre main gauche au milieu de l'épaule gauche de votre partenaire. Pression intense de trois secondes (9 kg). Pause.

5. Répétez cette pression intense à deux reprises.

La base du crâne

Placez votre pouce gauche sur le pouce droit dans la légère cavité qui se trouve en haut de la nuque, exactement sous la base du crâne.

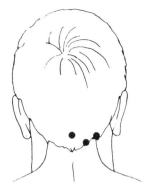

1. Pression intense (9 kg) avec les deux pouces superposés, pendant trois secondes. Pause.

2. Refaites la même pression. Pause.

3. Refaites une seconde fois la même pression. Pause.

4. Amenez les pouces à deux doigts sur la droite de la base du crâne de votre partenaire. Pression intense (9 kg) des deux pouces durant trois secondes.

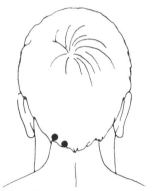

5. Répétez cette pression à deux reprises.

6. Eloignez encore vos pouces de deux doigts sur la droite à la base du crâne de votre partenaire. Pression intense (9 kg) de trois secondes. Pause.

7. Répétez à deux reprises cette pression.

8. Passez maintenant à la gauche de la base du crâne de votre partenaire, d'abord à deux doigts, puis à quatre doigts du milieu de la nuque. Refaites les séquences de trois secondes de pression intense (9 kg) sur chaque point. Arrêtez-vous une seconde entre chaque pression.

Les muscles du cou

Séparez vos mains. Chacun de vos pouces se placera tout en haut des muscles principaux qui descendent du bas du crâne le long de la nuque pour finir à l'épaule. Appuyez le pouce droit tout en haut du muscle droit à sa jonction avec la base crânienne et le pouce gauche sur le point correspondant du muscle gauche.

1, Forte pression (9 kg) de trois secondes sur les deux points simultanément. Pause.

2. Refaire la pression. Pause.

3. Faire une troisième pression. Pause.

4. Descendre de deux doigts le long du muscle. Vos pouces resteront bien appuyés sur les cordons du muscle. Pression intense (9 kg) de trois secondes. Pause.

5. Renouvelez cette pression deux fois encore.

6. Continuez ces mêmes pressions intenses (9 kg) le long des muscles de la nuque, en laissant un intervalle de deux doigts entre les points. Faites une pause d'une seconde entre chaque pression de trois secondes.

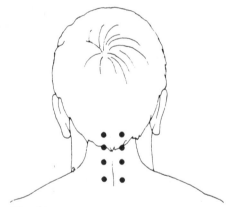

La colonne vertébrale

Vous exercerez des pressions shiatzu tout au long de la colonne vertébrale de votre partenaire, de l'os de la nuque au coccyx. Pour cela, vous resterez à cheval sur votre partenaire, le poids portant sur vos jambes, les bras bien tendus, tout le poids de votre corps étant transmis à vos mains, et par vos mains.

Commencez à la base de la nuque, exactement sous l'os protubérant, généralement facile à trouver entre les épaules.

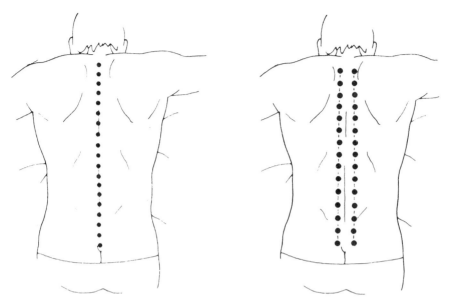

1. Appuyez le pouce droit dans la cavité qui suit cet os et précède la première vertèbre. Pression modérée (7 kg) de trois secondes. Pause.

2. Descendez le long de l'échine et appuyez le pouce gauche sur la légère cavité suivante. Pression modérée (7 kg) de trois secondes. Pause.

3. En faisant alterner le pouce droit et le gauche, et en suivant les points situés dans chacune des dépressions qui séparent les vertèbres, vous atteindrez le bas de l'épine dorsale. Pression modérée sur chaque point, une pause, et poursuivez le mouvement descendant.

A droite et à gauche de l'épine dorsale

1. Posez le pouce gauche à un centimètre et demi à gauche de la colonne vertébrale et votre pouce droit à la même distance à droite. Pression modérée (7 kg) des deux pouces pendant trois secondes. Pause.

2. Descendez les pouces à deux doigts de distance environ. Refaites la même pression. Pause.

3. Continuez en descendant chaque fois de deux doigts, jusqu'à ce que vous arriviez au niveau du coccyx. Pression modérée (7 kg) des deux pouces sur chaque couple de points.

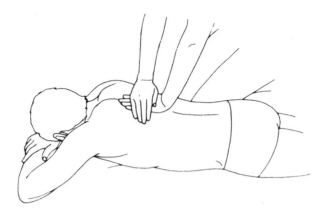

Le dos

Agenouillez-vous à la droite de votre partenaire. Appuyez votre main gauche sur le haut de la colonne vertébrale, doigts pointant vers la tête, paume bien à plat sur l'épine dorsale. Posez dessus votre main droite en travers, les doigts pointant vers l'épaule.

1. Faites porter tout le poids du haut de votre corps sur vos mains. Pression modérée (7 kg) pendant que vous comptez jusqu'à dix. Pause.

2. Descendez le long de l'épine dorsale en laissant la largeur d'une main d'intervalle et refaites la même pression.

3. Continuez tout au long de la colonne vertébrale, en laissant une main d'intervalle entre les points, jusqu'à ce que vous arriviez à la dernière vertèbre.

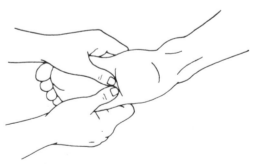

La plante des pieds

Installez-vous — peut-être en descendant du lit — pour être en face du pied droit de votre partenaire. Quatre points reçoivent des pressions sur la plante des pieds. Les trois premiers s'alignent sur une bissectrice du pied allant du milieu du talon à l'orteil du milieu. Le quatrième est en haut de la voûte plantaire, non loin du premier point.

1. Vous enveloppez le pied droit de vos doigts, les deux pouces posés côte à côte exactement sous le talon, au milieu. Pression intense (9 kg) de trois secondes. Pause.

2. Le second point occupe le milieu de la partie la plus étroite du pied. Refaites la même pression. Pause.

3. Le troisième point se trouve juste sous la partie charnue précédant les orteils. Pression intense de trois secondes. Pause.

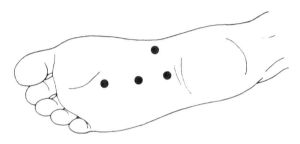

4. Un léger déplacement des doigts vous amènera au quatrième point, les deux pouces au plus creux de la voûte plantaire. Trois secondes de pression. Pause.

5. Recommencez les séquences de 1 à 5 sur le pied droit et faites-les encore une troisième fois.

6. Changez de côté et placez-vous devant le pied gauche de votre partenaire. Faites trois fois toute la séquence sur le pied gauche.

L'abdomen

Votre partenaire se mettra sur le dos et vous vous agenouillez à sa droite. Les points de l'abdomen suivent cinq lignes verticales partant du bas des côtes pour finir à l'aine. La première ligne descend du sternum au nombril pour finir au bas du tronc. Les deux suivantes qui l'encadrent lui sont parallèles. Les deux dernières encadrent les deux autres. On exerce des pressions simultanées sur les deux points correspondants.

1. Les pouces côte à côte sous le sternum, au centre de la cage thoracique, faites une pression modérée (7 kg) de trois secondes. Pause.

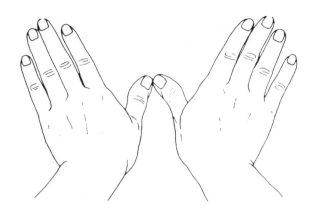

2. A deux doigts plus bas, refaites la même pression modérée. Pause.

3. Toujours en laissant un intervalle de deux doigts, continuez les pressions modérées sur cette ligne centrale jusqu'à ce que vous arriviez à l'aine.

4. Séparez les mains et placez vos pouces juste sous le bas des côtes, à quatre doigts d'écart de la ligne centrale. Pression modérée (7 kg) de trois secondes. Pause.

5. Poursuivre les pressions modérées jusqu'à la base du tronc, en respectant un écart de deux doigts entre les points.

6. Chaque pouce appuiera sous les dernières côtes, à huit doigts de distance de la ligne centrale. Pression modérée (7 kg) de trois secondes. Pause.

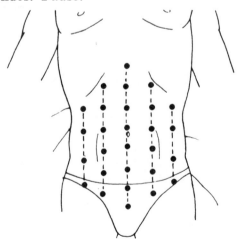

7. Continuez en descendant au long de ces deux dernières lignes et en respectant l'intervalle de deux doigts, jusqu'à ce que vous arriviez près des cuisses. Pression modérée de trois secondes sur chaque point.

8. Appliquez vos mains, paumes en dessous, sur le ventre de votre partenaire. Les deux paumes exerceront une pression douce (4,5 kg) et simultanée, se déplaçant de manière à couvrir tout le ventre de douces pressions. Insistez sur les régions où vous sentez une résistance des muscles jusqu'à ce que vous sentiez qu'ils se sont un peu détendus.

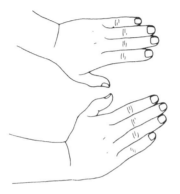

Les tempes

Reprenez votre position à califourchon sur votre partenaire, en faisant porter votre poids sur vos jambes. Deux points se situent de chaque côté de la tête. Les deux premiers sont à deux doigts du coin externe de l'œil. Les deux autres sont dans les légères dépressions des tempes. Vous presserez simultanément les deux points correspondants sur les deux côtés de la tête. Pour cela, mettez le bout du médius sur l'ongle de l'index de chaque main, et appuyez des deux doigts.

1. Posez les doigts sur les deux premiers points et donnez une pression modérée (7 kg) de trois secondes. Pause.

2. Renouvelez cette pression. Pause.

3. Refaites une fois encore cette pression. Pause.

4. Portez les doigts sur les deux points des tempes. Pression modérée de trois secondes. Pause.

5. Refaites à deux reprises la même pression.

Les yeux

Les points des yeux se trouvent sur le bord externe des orbites. Vous vous servirez du pouce de l'une et l'autre main pour presser simultanément l'œil gauche et l'œil droit.

1. Mettez le pouce sur le bord interne de l'arête supérieure de l'orbite, aussi près du nez que possible.

2. Pression légère (4,5 kg) et directe sur le bord interne de l'orbite. Trois secondes. Pause.

3. Les pouces se déplacent d'un doigt environ en direction des tempes. Refaites une pression légère sur l'arête interne des orbites. Trois secondes de pression. Pause.

4. Continuez ces pressions légères (4,5 kg) à intervalle d'un doigt environ, pour terminer sur les points qui se trouvent au niveau du coin extérieur des yeux.

5. Revenez au premier point au-dessus du coin interne de l'œil et refaites la séquence.

6. En vous servant des index, sur l'œil droit et l'œil gauche simultanément, commencez aussi près du nez que possible. Pression légère de trois secondes directement sur le bord inférieur des orbites (4,5 kg). Pause.

7. Déplacez vos index d'un doigt le long du bord inférieur de l'orbite. Renouvelez la pression légère. Pause.

8. Continuez les pressions à un doigt d'intervalle, en finissant sur les points qui se trouvent au coin extérieur des orbites.

9. Revenez au coin interne des orbites et recommencez une seconde fois cette séquence.

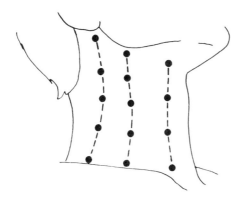

Le cou

Agenouillez-vous près du côté droit du buste de votre partenaire, assez près pour atteindre le cou de votre partenaire sans avoir à tendre les bras. Les points spécifiques que vous voyez sur l'illustration ne sont qu'une indication générale. Ne vous en souciez pas outre mesure, l'essentiel est de couvrir la région indiquée sur le dessin. Vous utilisez l'index et le médius posés l'un à côté de l'autre, en faisant alterner les mains, la droite d'abord, la gauche ensuite.

1. Mettez l'index et le médius de votre main droite, l'un à côté de l'autre, sous la mâchoire, à droite du haut de la trachée de votre partenaire. Pression légère (4,5 kg) de deux secondes, sur le muscle, et non sur la trachée.

2. Mettez l'index et le médius de la main gauche à côté de ceux de la main droite, sur une ligne suivant la trachée et le muscle du cou. Vous continuerez sur cette ligne jusqu'à la base du cou, en alternant les mains. Deux secondes de pression légère (4,5 kg) sur chaque point.

3. Ramenez vos mains sous la mâchoire, un peu plus avant sur le côté du cou, et refaites les pressions, en suivant les muscles du cou, du haut jusqu'à la clavicule, jusqu'à ce que vous ayez couvert de pressions toute la partie droite du cou.

4. Passez à la gauche de votre partenaire, et répétez les séquences précédentes sur le côté gauche du cou.

La paume des mains

Quatre points doivent recevoir des pressions sur la paume de chaque main. Les deux premiers suivent une ligne qui va du milieu du poignet à la base du médius. Le quatrième se trouve sur la partie renflée située à la base du pouce.

1. Prenez la main droite de votre partenaire dans les vôtres et appuyez vos pouces côte à côte sur le premier point au-dessus du poignet. Trois secondes de forte pression (9 kg). Pause.

2. Remontez au centre de la paume droite et répétez la pression forte de trois secondes. Pause.

3. Les pouces côte à côte sur la partie charnue précédant le médius, renouvelez la pression profonde de 9 kg.

4. Amenez vos pouces sur la base charnue du pouce, et faites une pression au centre de cette partie (9 kg).

5. Revenez au premier point et répétez toute la séquence sur la main droite.

6. Refaites deux fois toute cette séquence sur la main gauche.

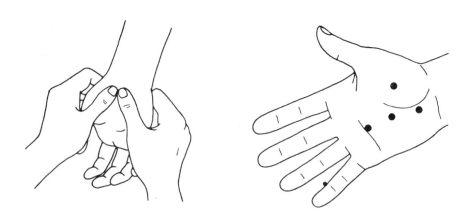

Exercices terminaux

Faites étendre votre partenaire sur le dos. Il étirera ses bras, ses jambes et ses doigts de pied tout en aspirant lentement par le nez. Faites-lui baisser les bras progressivement, il se détend, puis exhale lentement l'air aspiré par la bouche, en produisant un sifflement entre les dents. Il faut répéter cinq fois cet exercice.

CHAPITRE VIII

Les maux de tête

Vous obtiendrez par le Shiatzu un soulagement immédiat de n'importe quel type de céphalée, ou presque. Les variétés les plus courantes de maux de tête — causés par la fatigue, les tensions, les excès de nourriture ou de boissons alcoolisées, ou le manque de sommeil — peuvent être traitées effectivement par une séance unique de Shiatzu. Quant aux formes les plus sévères, telles que la migraine, elles peuvent évidemment bénéficier d'un soulagement provisoire par un seul traitement shiatzu, mais pour obtenir des résultats durables, il faut se soumettre à des soins suivis qui peuvent exiger, selon les cas, plusieurs jours ou plusieurs semaines.

Dans toutes les formes de maux de tête, les muscles de la tête et du haut du cou se tendent et se raidissent. Quelle qu'en soit l'origine spécifique, la douleur ressentie combine la tension musculaire et la constriction des vaisseaux sanguins. En relaxant les muscles et en amorçant le flux sanguin à travers le système circulatoire, le Shiatzu agit directement sur la région douloureuse et apporte un soulagement. On commence par traiter les points de la tête et des épaules. Après quoi, étant donné qu'il importe d'abord de rétablir une bonne circulation sanguine, essentielle à la détente musculaire, j'agis par pressions sur la plante des pieds, donc sur les parties les plus éloignées du cœur. Le Shiatzu sur la plante des pieds améliore la circulation générale et agit directement sur les douleurs causées par les maux de tête.

L'extrême efficacité du Shiatzu dans le soulagement de la douleur ne doit pas vous faire oublier son rôle éminent pour prévenir le retour du mal. Si vous souffrez de maux de tête fréquents, essayez les séquences de Shiatzu contre les maux de tête qui vont suivre, pendant une semaine environ, à raison d'une séance quotidienne. Vous verrez vos maux de tête diminuer, et ceux qui peut-être reviendront seront moins pénibles. Si vous poursuivez le traitement, ces maux de tête devraient éventuellement disparaître complètement. S'ils persistent, vous devrez consulter un médecin, car ils ont probablement une origine organique.

LE SHIATZU PAR VOUS-MÊME
CONTRE LES MAUX DE TÊTE

Les exercices suivants peuvent se faire n'importe où et n'importe quand, sur une chaise, lorsque vous sentez un mal de tête vous gagner. La séquence complète ne dure guère que dix minutes. Et si vous continuez de souffrir, revenez aux endroits où les pressions vous ont le plus soulagé, qui sont d'ordinaire la base du crâne, le bas du cou, les tempes et les points entourant les yeux. Si vous sentez le mal de tête revenir, faites à nouveau toute la séquence. Si la chose est possible, étendez-vous quelques minutes après votre Shiatzu. Fermez les yeux et respirez profondément.

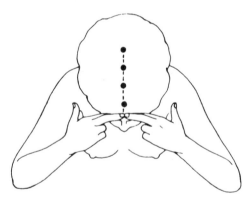

Le sommet de la tête

Des pressions modérées (7 kg) seront données sur cinq lignes de points allant du front à l'arrière de la tête. Vous vous servirez pour cela de l'index de chaque main couvert par le médius posé sur l'ongle.

1. Courbez légèrement les doigts, l'index sur l'ongle du médius, et placez les deux index sur la « pointe des veuves », ces doigts se

touchant face à face. Pression modérée (7 kg) de trois secondes. Pause.

2. A deux doigts d'intervalle, sur une ligne imaginaire qui partagerait votre chevelure par le milieu, refaites une pression modérée de trois secondes. Pause.

3. Continuez vers l'arrière, en laissant le même écart de deux doigts, jusqu'à un point à mi-hauteur de l'occiput. Pression modérée de trois secondes sur chaque point.

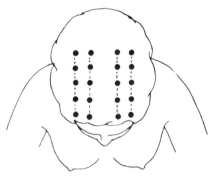

4. Revenez à la racine des cheveux sur le front, et appuyez vos index surmontés des médius, à deux doigts de chaque côté de la « pointe des veuves », l'index droit à droite, l'index gauche à gauche. Pression modérée de trois secondes (7 kg). Pause.

5. De chaque côté de la médiane imaginaire qui partage vos cheveux par le milieu, donnez des pressions à deux doigts d'intervalle jusqu'au niveau précédent. Trois secondes de pression modérée.

6. Revenez encore une fois au haut du front. A deux doigts de plus de « la pointe des veuves », faites une pression modérée (7 kg) de trois secondes. Pause.

7. Répétez les pressions modérées sur les deux lignes parallèles, en laissant un écart de deux doigts entre chaque pression, jusqu'au niveau précédent sur l'occiput.

Le haut de l'épaule

Avec l'index, le médius et l'annulaire de votre main gauche, cherchez le point sensible sur le haut de votre épaule droite, légèrement en arrière, sur le muscle. Vous le reconnaîtrez à sa sensibilité au toucher.

1. Pression intense (9 kg) des trois doigts posés les uns à côté des autres, durant trois secondes. Pause.

2. Refaire la même pression. Pause.

3. Nouvelle pression de trois secondes. Pause.

4. Localisez le point correspondant sur votre épaule gauche avec l'index, le médius et l'annulaire de la main droite, et répétez la séquence ci-dessus.

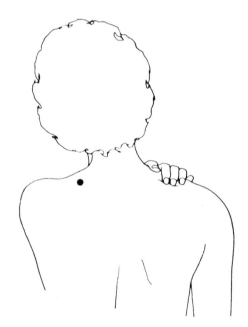

La base du crâne

Vous appuierez l'index, le médius et l'annulaire réunis de vos deux mains sur la légère cavité creusée sous la base du crâne, tout en haut de la nuque.

1. Pression intense (9 kg) de trois secondes, avec les deux mains.

2. Tenir trois secondes. Pause.

3. Refaire cette même pression deux fois encore. Trois secondes chaque fois.

4. Portez les trois doigts réunis de votre main gauche à trois doigts de distance du premier point, sur le bas du crâne, et les doigts de la main droite sur le point correspondant à

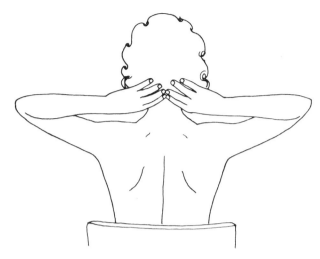

droite. Pression intense (9 kg) sur ces deux points simultanément, durant trois secondes. Faire deux pressions supplémen-
taires.

5. A trois doigts de distance, sur la partie inférieure du
crâne, faites trois pressions de trois secondes chacune.

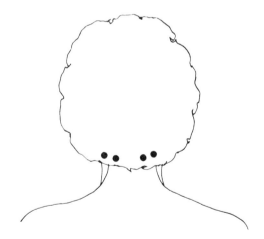

Les muscles du cou

Mettez les trois doigts du milieu de la main gauche tout en
haut du gros muscle qui descend sur la gauche de la nuque,
partant du bas de la calotte crânienne pour finir sur l'épaule.
L'index, le médius et l'annulaire de la main droite se poseront
sur le point correspondant à la droite de la nuque.

1. Pressez intensément (9 kg) les deux points simultanément, durant trois secondes. Pause.

2. Renouvelez cette pression à deux doigts environ en descendant le long du muscle, vos doigts appuyant bien sur les cordons du muscle. Trois secondes. Pause.

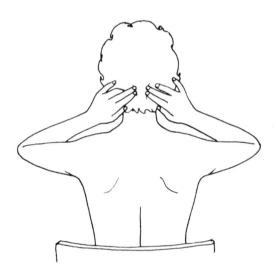

3. Continuez en suivant les muscles de la nuque, en descendant vers l'épaule, les pressions fortes (9 kg), en laissant des intervalles de deux doigts. Le dernier point est sur la base du muscle, à l'épaule.

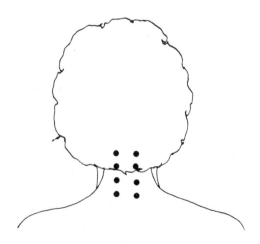

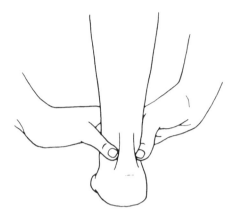

Les chevilles

Posez votre pied droit par terre. Penchez-vous pour toucher la cheville. Mettez votre pouce droit dans la légère dépression creusée entre l'os de la cheville et le tendon d'Achille. Votre pouce gauche appuiera sur le point correspondant au-dessus du talon, côté intérieur du pied. De vos autres doigts, vous enveloppez le cou de pied.

1. Pression modérée (7 kg) des deux pouces, durant trois secondes.

2. Déplacez vos pouces vers le bas, à l'intérieur du tendon d'Achille, dans le creux situé exactement derrière l'os de la cheville. Pression modérée (7 kg) des deux pouces. Trois secondes. Pause.

3. Sur le haut du talon, posez les pouces dans le creux et faites une pression modérée des deux pouces. Trois secondes. Pause.

4. Recommencez toute cette séquence sur la cheville gauche, en vous servant toujours des deux pouces.

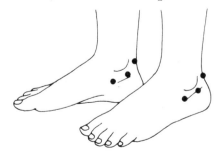

La plante des pieds

Mettez le bas de la jambe droite sur votre genou gauche. Il y a quatre points sur la plante des pieds justiciables de pressions. Les trois premiers suivent une ligne bissectrice du pied, allant du milieu du talon pour finir sous le troisième doigt de pied. Le quatrième point se trouve au plus haut de la voûte plantaire, légèrement en retrait du premier, près du talon.

1. Vos mains entourent le dessus du pied, tandis que vos pouces se rencontrent dessous, juste devant la partie renflée du talon. Pression intense (9 kg) de trois secondes. Pause.

2. Descendez les pouces un peu en avant, sur la partie la plus étroite du pied. Pression intense (9 kg) de trois secondes. Pause.

3. Descendez encore un peu, les pouces sous la partie renflée précédant les orteils. Trois secondes de pression intense.

4. Ramenez les pouces sur le point le plus haut de la voûte plantaire. Pression intense de trois secondes.

5. Mettez le bas de la jambe gauche sur le genou droit et répétez toute la séquence sur la plante du pied droit.

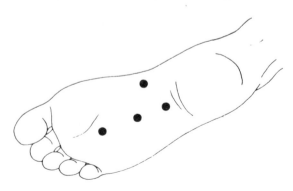

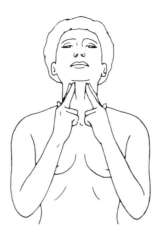

Le devant et les côtés du cou

Vous vous servirez de l'index, du médius et de l'annulaire des deux mains pour le cou. Bien que les points spécifiques soient indiqués sur l'illustration, ne les considérez que comme une indication générale. L'important est de couvrir l'ensemble de cette région du cou de pressions légères et modérées. Vous travaillerez les deux côtés du cou en même temps.

1. Placez les trois doigts du milieu sous le maxillaire de chaque côté de la trachée, ceux de la main droite à droite et vice-versa, sur les deux points correspondants. Pression légère (4,5 kg) de deux secondes. Appuyez sur le muscle, et non sur la trachée.

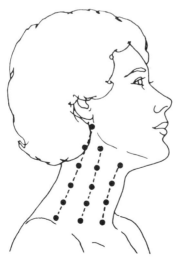

2. Les doigts légèrement plus bas, continuez les pressions légères de deux secondes en descendant jusqu'à la base du cou, des deux côtés.

3. Ramenez vos mains sous le maxillaire, un peu en arrière des premiers points. Répétez les pressions sur les deux côtés du cou en suivant une ligne jusqu'à la base du cou.

4. Continuez ces mêmes pressions légères de deux secondes du haut du cou à la base, en vous écartant chaque fois un peu plus du milieu, jusqu'à ce que vous ayez couvert de pressions le devant et les côtés du cou.

Les tempes

Il y a deux points de chaque côté de la tête. Traitez les deux points correspondants simultanément, à l'aide du médius de chaque main posé sur l'ongle de l'index.

1. Mettez votre index droit, renforcé du médius, sur la légère dépression qui se trouve à environ deux doigts de distance du coin de l'œil droit. Faites de même avec l'index et le médius de la main gauche près de l'œil gauche.

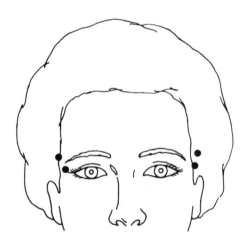

2. Pression modérée (7 kg) de trois secondes. Pause.

3. Refaites la même pression trois secondes. Repos.

4. Vos doigts remontent deux doigts plus haut et en arrière du premier, formant un angle de quarante-cinq degrés avec ces premiers points. Pression modérée de trois secondes. Pause.

Les yeux

Les points du tour de l'œil ont une extrême importance dans le traitement des maux de tête. Les pressions que l'on y exerce soulagent de la sensation de lourdeur accumulée dans les muscles des yeux. L'index, le médius et l'annulaire de la main droite sont indiqués pour les points de l'œil droit et les doigts correspondants de la main gauche pour l'œil gauche. Vous traiterez les deux yeux en même temps. Si vous portez des lentilles de contact, retirez-les.

1. Ecartez légèrement les doigts et placez-en les bouts charnus sur le bord interne du haut des orbites. L'annulaire de chaque main doit se trouver le plus près possible du nez.

2. Vous dirigez vers le haut du bord de l'orbite les pressions légères (4,5 kg) de trois secondes.

3. Fermez les paupières et avec vos trois doigts, sur chaque paupière, faites des pressions très légères (de 800 à 1 200 g) de trois secondes. Pause.

4. Courbez les doigts et appuyez sur le bord interne du bas des orbites. Pression légère (4,5 kg) sur l'os. Tenir trois secondes. Pause.

5. Refaites toute la séquence, orbites supérieures, paupières et bas des orbites.

Reposez-vous un instant après vous être administré vous-même ce Shiatzu. Appuyez-vous au dossier de votre chaise et aspirez par le nez pour remplir d'air vos poumons. Gardez l'air pendant trois secondes, puis expirez lentement par la bouche. Refaites au moins six de ces respirations profondes.

LE SHIATZU AVEC UN PARTENAIRE
CONTRE LES MAUX DE TÊTE

Les exercices qui vont suivre supposent que votre partenaire est allongé bien à plat sur le dos. Toutefois, si vous administrez un Shiatzu en un lieu où il est difficile ou impossible que votre partenaire s'allonge, dans un bureau par exemple, la position assise suffira pour que vous exerciez les pressions. La seule différence, c'est que vous ne pouvez agir que d'une main à la fois si votre partenaire est assis, votre autre main devant soutenir le corps, afin de pouvoir exercer une pression suffisante. Par exemple, quand vous en serez à la base du crâne ou à la

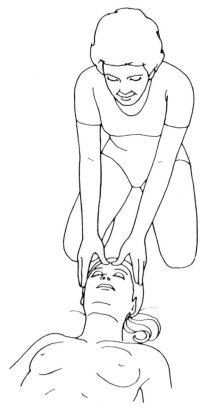

nuque, placez-vous derrière votre partenaire, mettez votre main gauche sur son front et faites les pressions avec la main droite. Commencez par le côté droit de la partie à traiter, puis passez à la gauche. A la fin des séquences, le Shiatzu terminé, votre partenaire devra fermer les yeux et se relaxer le plus longtemps possible.

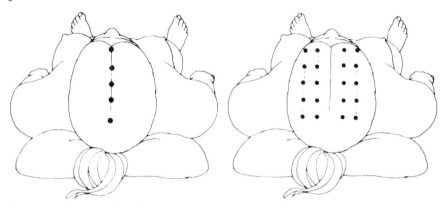

Le sommet de la tête

Votre partenaire s'étendra bien à plat sur le dos sur une couverture pliée ou tout autre support assez doux. Agenouillez-vous derrière la tête de votre partenaire, assez près pour atteindre le sommet de sa tête sans avoir à tendre les bras.

1. Posez vos deux pouces côte à côte sur la pointe médiane de la racine des cheveux. Pression modérée (7 kg) de trois secondes. Pause.

2. A deux doigts en arrière de ce premier point, sur une médiane qui partagerait les cheveux, posez vos pouces et donnez une pression modérée (7 kg) de trois secondes. Pause.

3. Continuez tout droit jusqu'à l'arrière de la calotte crânienne, en laissant chaque fois deux doigts d'intervalle. Pression modérée de trois secondes sur chaque point.

4. Ramenez vos mains sur le front à la racine des cheveux. Le pouce droit se placera à deux doigts de la « pointe des veuves », soit du milieu des cheveux, le pouce gauche à la même distance sur la gauche. Pression modérée (7 kg) de trois secondes. Pause.

5. A deux doigts en arrière, des deux côtés, refaites une pression modérée des deux pouces à la fois. Trois secondes. Pause.

6. Continuez les pressions modérées à deux doigts d'écart jusqu'à l'arrière de. la calotte crânienne.

7. Revenez encore à la racine des cheveux et éloignez encore les pouces de deux doigts sur les côtés de la tête. Pression modérée (7 kg) à intervalles de deux doigts jusqu'à ce que vous parveniez encore une fois à l'arrière de la calotte crânienne. Trois secondes sur chacun des points.

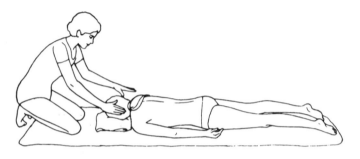

Le haut des épaules

Votre partenaire se retournera pour se mettre à plat sur le ventre. Toujours à genoux, derrière sa tête, tendez le bras gauche et mettez votre pouce gauche sur le dessus de son épaule droite. Le point de l'épaule se trouve à trois ou quatre doigts du bas de la nuque. Il est à côté de la protubérance osseuse du haut de l'épaule, légèrement en arrière.

1. Mettez le bout de votre pouce droit sur l'ongle de votre pouce gauche. Forte pression (9 kg) de trois secondes. Pause.

2. Recommencez deux fois cette même pression. Trois secondes chaque fois.

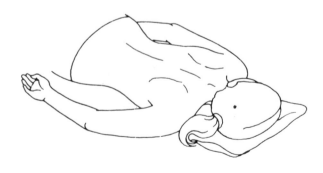

3. Obliquez du côté de l'épaule gauche de votre partenaire. Inversez la position des pouces, en mettant le bout du pouce gauche sur l'ongle du droit. Refaites les séquences indiquées pour l'épaule droite.

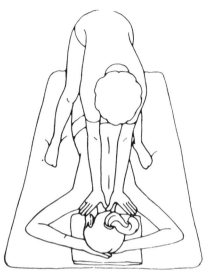

La base du crâne

Pour pouvoir agir efficacement sur cette partie de la tête, changez de position. Debout et à cheval au-dessus de votre partenaire, vos pieds au niveau du bas de ses hanches, penchez complètement le buste. (Si vous trouvez cela fatigant, agenouillez-vous, votre poids portant sur vos jambes.)

1. Mettez votre pouce droit dans la dépression creusée sous la base du crâne, tout en haut et au milieu de la nuque. Le pouce gauche sur l'ongle du pouce droit, faites une pression intense (9 kg) de trois secondes. Pause.

2. Refaites deux fois encore la même pression. Trois secondes chaque fois.

3. Séparez vos mains et mettez votre pouce gauche à trois doigts de distance de ce premier point, en suivant le bord inférieur du crâne. Même distance à droite pour le pouce droit. Pression intense (9 kg) de trois secondes avec chacun des pouces. Pause.

4. Refaites deux fois cette pression. Trois secondes chaque fois.

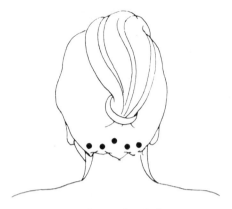

5. Eloignez vos pouces de trois doigts encore sur la base du crâne et faites une pression intense des deux pouces de trois secondes. Pause.

6. Répétez encore deux fois cette pression.

La nuque

Toujours à cheval au-dessus de votre partenaire, posez le pouce gauche tout en haut du muscle principal qui descend sur le côté de la nuque. Votre pouce droit appuiera sur le haut du muscle droit. Vos deux pouces doivent se trouver sur les points dont partent les muscles à la base du crâne.

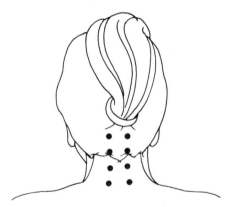

1. Pression intense (9 kg) sur chacun des points. Trois secondes. Pause.

2. Descendez de deux doigts le long du muscle. Pression intense (9 kg) de trois secondes, vos pouces enfonçant bien les muscles. Pause.

3. Continuez le long des muscles droit et gauche, en laissant chaque fois un écart de deux doigts. Pression intense (9 kg) jusqu'aux derniers points du bas du muscle, sur l'omoplate.

Les chevilles

Changez de position pour travailler les chevilles. Agenouillez-vous près du genou droit de votre partenaire, en vous tournant vers la cheville. Mettez votre pouce gauche à l'extérieur de la cheville, entre l'os et le tendon d'Achille, là où se forme une dépression. Votre pouce droit appuiera sur le point correspondant de l'intérieur de la cheville. Vous entourerez la cheville de vos autres doigts.

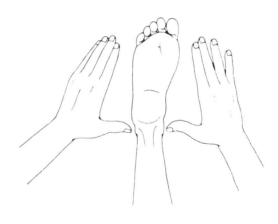

1. Pression modérée (7 kg) des deux pouces. Trois secondes. Pause.

2. Répétez cette pression durant trois secondes.

3. Descendez le long du tendon d'Achille et mettez vos pouces au creux qui suit l'os de la cheville, entre cet os et le tendon d'Achille. Pression modérée (7 kg) de trois secondes. Pause. Répétez la même pression de trois secondes.

4. Amenez vos pouces sur le dessus du talon. Pression modérée de trois secondes. Pause. Refaire la même pression.

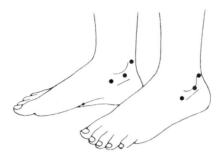

5. Passez à la gauche de votre partenaire et répétez les séquences sur la cheville gauche.

La plante des pieds

Mettez-vous devant le pied droit de votre partenaire. Quatre points doivent recevoir des pressions sur la plante des pieds. Les trois premiers s'alignent sur une bissectrice du pied. Le quatrième est au fond de la voûte plantaire, là où elle est la plus creuse, et légèrement en avant du premier point.

1. Prenez le pied droit dans vos mains et placez les pouces côte à côte, devant la partie renflée du talon, et au milieu. Pression intense de trois secondes (9 kg). Pause.

2. Descendez au milieu du pied. Pression intense (9 kg) de trois secondes. Pause.

3. Vous arrivez au point situé sous et au milieu de la partie renflée précédant les orteils. Trois secondes de pression intense. Pause.

4. Ramenez vos mains sous le point le plus haut de la voûte plantaire. Trois secondes de pression intense.

5. Passez au pied gauche de votre partenaire et répétez la séquence.

Lorsque vous aurez terminé, votre partenaire se retournera sur le dos. Ce sera sa position pour les exercices terminaux du Shiatzu contre les maux de tête.

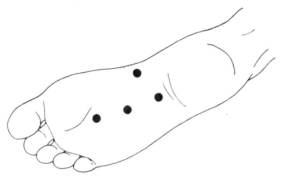

Le cou

Agenouillez-vous à la droite du buste de votre partenaire. Vous devez pouvoir atteindre son cou aisément, sans tendre les bras. Bien que des points spécifiques soient désignés dans l'illustration, n'en tenez pas rigoureusement compte : ils vous serviront d'indication générale. En principe, il faut couvrir de pressions la région du cou dans son ensemble. C'est ce que vous ferez, en commençant par le maxillaire et en finissant à la base du cou. Servez-vous pour cela de l'index, du médius et de l'annulaire des deux mains, les deux mains en alternance.

1. Mettez l'index, le médius et l'annulaire de la main droite sous le maxillaire à côté de la trachée. Donnez une pression légère (4,5 kg) au sommet d'une ligne formée par le côté de la trachée et le muscle. Faites attention à ne pas presser sur la trachée, mais sur le muscle. Tenir trois secondes. Pause.

2. L'index, le médius et l'annulaire de la main gauche donneront une pression juste en dessous du premier point. Pression légère. Pause.

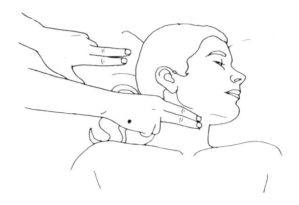

3. Continuez en ligne droite, votre main droite alternant avec la gauche, par des pressions légères, jusqu'à la base du cou.

4. Ramenez vos mains sous la mâchoire et recommencez les pressions légères jusqu'à la base du cou.

5. Continuez ces mêmes pressions légères (4,5 kg) du haut en bas du cou jusqu'à ce que tout le côté droit du cou en ait été couvert.

6. Passez à la gauche de votre partenaire et recommencez ces séquences sur le côté gauche du cou.

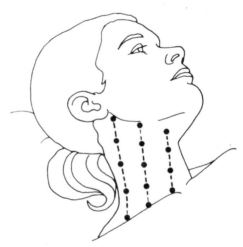

Les tempes

Revenez à votre position derrière la tête de votre partenaire. Il y a deux points de chaque côté de la tête. Servez-vous de l'index, du médius et de l'annulaire des deux mains pour agir sur les deux côtés de la tête simultanément.

1. Pression modérée (7 kg) dans les dépressions des tempes. Trois secondes. Pause.

2. Refaire cette pression modérée pendant trois secondes. Pause.

3. Amenez vos doigts près de la ligne des cheveux, sur le muscle que vous sentez bouger quand vous serrez les dents. Pression modérée de trois secondes. Pause.

4. Refaites cette pression modérée. Trois secondes.

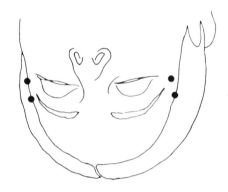

Les yeux

Autour des yeux, les points se trouvent sur les bords internes des orbites. Servez-vous des index des deux mains pour presser simultanément sur les deux yeux.

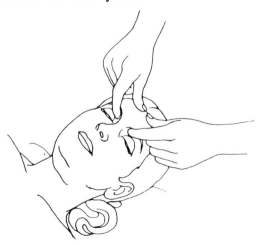

1. Mettez l'index droit et le gauche sur le bord interne du haut des orbites, aussi près que possible du nez.

2. Pression légère et directe sur le bord interne des os des orbites. Trois secondes. Pause.

3. Laissez un écart d'un doigt et mettez les index sur les bords internes des os des orbites. Nouvelles pressions légères de trois secondes. Pause.

4. Continuez les pressions en laissant les mêmes écarts d'un doigt sur les bords internes des orbites jusqu'à ce que vous en ayez fini avec le haut des orbites.

5. Changez de position, s'il le faut, pour atteindre les points du bas des orbites. Restez à genoux près de la taille de votre partenaire.

6. Pression légère (4,5 kg) directement sur le bord interne de l'os adjacent au nez. Trois secondes. Pause.

7. A un doigt d'écart sur ce bord interne de l'orbite, refaites une pression légère de trois secondes. Pause.

8. Continuez les pressions, toujours avec le même intervalle, jusqu'au bord extérieur des orbites.

Exercices terminaux

Votre partenaire étendra les bras sur le sol derrière sa tête. Saisissez ses mains dans les vôtres et tirez doucement pour étirer ses bras. En même temps, votre partenaire aspirera par le nez, remplissant ses poumons au maximum, tout en étirant ses jambes et ses doigts de pied. Restez ainsi un instant, puis relâchez votre prise sur ses mains et ses bras, tandis que votre partenaire expire lentement par la bouche, tout son corps se détendant peu à peu. Refaites six fois cet exercice.

CHAPITRE IX

Le torticolis
et les douleurs d'épaules

Grâce au Shiatzu, vous pourrez facilement vous débarrasser du torticolis et des douleurs de cou et d'épaules que causent la fatigue, la tension nerveuse et le surmenage physique.

Bien des personnes de tempérament nerveux, ou dont l'énergie est surtout nerveuse, sont venues à moi souffrant d'une raideur douloureuse des muscles du cou et des épaules. Ces douleurs proviennent souvent d'une accumulation inconsciente d'anxiétés pendant des mois, ou même des années. Toutefois, sans aucune exception, toutes ces personnes ont obtenu un soulagement et une impression de détente dès mon premier traitement shiatzu.

Les exercices spécifiques que j'indique pour la raideur du cou et des épaules sont également efficaces pour des personnes qui ont forcé leurs muscles au cours d'un effort physique trop intense. Il va de soi que lorsque vous, ou votre partenaire, souffrez de douleurs ou de raideur du cou ou de l'épaule, plus tôt vous appliquerez le Shiatzu mieux ce sera. Si les douleurs ou raideurs réapparaissent, il faudra renouveler les séquences. Même si l'on ne constate aucune trace de raideur le lendemain du traitement, je pense qu'il est bon de refaire les exercices de Shiatzu.

Les premières pressions se donnent sur la tête et sur le cou. Ces pressions servent à frayer les chemins entre la tête et le cœur. Viennent ensuite le haut des épaules et du dos, et les omoplates. Ces régions seront probablement très sensibles au toucher dans les premiers instants, mais elles doivent être traitées de façon continue et énergique. L'action d'amorçage qu'exerce le Shiatzu allège la tension et accélère le cours régulier du sang dans les régions douloureuses. Je fais ensuite une série de pressions légères sur les côtés et le devant du cou, et, finalement, je travaille les aisselles, le haut des bras sur leur longueur et le bas du devant des épaules.

FAITES VOUS-MÊME VOTRE SHIATZU CONTRE LE TORTICOLIS ET LES DOULEURS D'ÉPAULES

Il est indiqué de vous asseoir sur une chaise à dos droit pour cette séquence de Shiatzu par vous-même.

Le haut et l'arrière de la tête

Posez vos trois doigts du milieu sur le sommet de la calotte crânienne, les deux mains à la fois, le bout des doigts se rencontrant face à face.

1. Pression intense (9 kg) de trois secondes. Pause. Recommencez la pression.

2. Amenez vos mains à la naissance du crâne, dans la cavité formée à la jonction de la nuque et de la boîte crânienne. Forte pression à l'aide de l'index, du médius et de l'annulaire des deux mains. Tenez trois secondes. Pause.

3. Séparez vos mains et mettez les trois doigts du milieu de chaque main à deux doigts du milieu de l'arrière de la tête, exactement sur le bas du crâne. Pression intense (9 kg) de trois seconde. Pause.

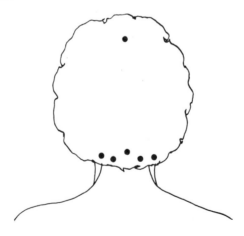

4. Portez les mains à deux doigts des derniers points de chaque côté, sur le bord inférieur de la boîte crânienne. Renouvelez la pression intense.

La nuque

Les index, médius et annulaires de chaque main appuient sur le haut du muscle important que vous sentez à la base du crâne et qui descend le long de la nuque. Mettez les doigts de la main gauche en haut du muscle gauche, et ceux de la main droite en haut du muscle droit, sur le point correspondant.

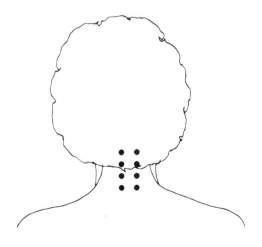

1. Pression forte (9 kg) sur les deux points simultanément. Trois secondes. Pause.

2. Descendez à mi-hauteur du muscle et renouvelez la pression intense. Pause.

3. Descendez à la base du muscle, là où la nuque rejoint l'épaule. Refaites encore une forte pression (9 kg).

Les épaules

De l'index, du médius et de l'annulaire, cherchez sur l'épaule droite le point à presser. Il se trouve à mi-chemin entre le bas de la nuque et la pointe de l'épaule. Appuyez un peu en arrière du muscle de l'épaule. Quand vos doigts rencontreront le point le plus sensible, vous aurez trouvé.

1. Pression intense (9 kg) de trois secondes. Pause.

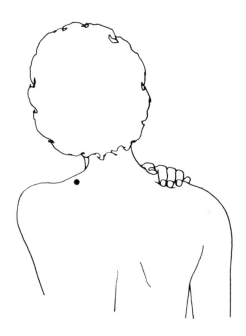

2. Cherchez le point correspondant sur l'épaule gauche avec les doigts de votre main droite. Renouvelez la pression intense durant trois secondes.

Le haut du dos et les omoplates

Tendez le bras de sorte que votre main gauche arrive au-dessus de votre épaule droite et descendez sur le dos aussi loin que possible. Mettez l'index, le médius et l'annulaire de la main droite à côté de l'épine dorsale, de sorte que l'index soit juste à côté des vertèbres.

1. Pression profonde de trois secondes (9 kg). Pause.

2. Remontez la main deux doigts plus haut le long de la colonne vertébrale, en vous dirigeant légèrement à droite vers l'épaule. Refaites une pression intense de trois secondes. Pause.

3. Continuez dans le même sens, à deux doigts d'écart, jusqu'à ce que vous arriviez sur la ligne d'épaule. Pression intense sur chacun des points. Pause.

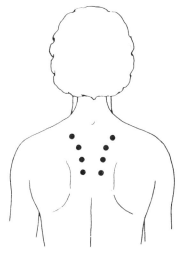

4. Portez la main gauche au-dessus de l'épaule droite et mettez l'index, le médius et l'annulaire sur le bord supérieur de l'omoplate gauche, coin interne. Pression intense de trois secondes.

5. Tendez le bras pour que votre main droite atteigne aussi loin que possible le bas de l'épaule gauche, sur le dos. Répétez la première séquence (de 1 à 3) sur le côté gauche du haut du dos.

6. Amenez votre main droite sur l'épaule gauche et refaites la deuxième séquence (paragraphe 4) sur votre omoplate gauche.

Le devant et les côtés du cou

C'est avec l'index, le médius et l'annulaire des deux mains que vous traiterez les points du cou, la main gauche pour le côté gauche, la droite pour le côté droit. Ne tenez pas un compte excessif des points indiqués sur l'illustration : ils vous serviront seulement d'indication générale. Le but est de couvrir de pressions toute la région du cou. Vous presserez les points correspondants des deux côtés simultanément, et modérément.

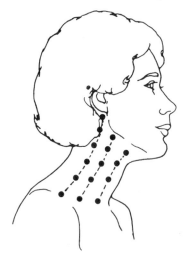

1. Mettez l'index, le médius et l'annulaire de votre main droite sous le maxillaire, là où vous sentez le muscle qui descend le long de la trachée. Faites de même sur la gauche du cou avec votre main gauche. Pression légère de deux secondes. Pause.

2. Descendez légèrement vos doigts le long des muscles et renouvelez la pression. Pause.

3. Poursuivez sur la même ligne jusqu'à la base du cou, en donnant chaque fois une pression légère de deux secondes.

4. Ramenez vos mains sous le maxillaire et recommencez les mêmes pressions, en suivant les principaux muscles du cou du haut en bas, jusqu'à ce que vous ayez couvert les deux côtés du cou.

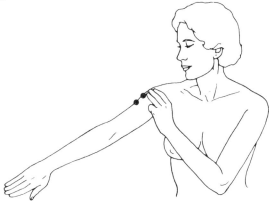

Les bras et les épaules

Le premier point de la séquence finale se trouve au creux de l'aisselle. Il y a en outre trois points sur le dessus du bras, en partant de l'épaule, et, pour finir, trois points descendant en diagonale sur le devant de l'épaule.

1. Levez le bras droit et appuyez le pouce gauche au fond de l'aisselle droite. Pression intense (9 kg) de deux secondes. Pause.

2. L'index, le médius et l'annulaire de votre main gauche seront posés tout en haut du coin de l'épaule droite. Pression intense (9 kg) de deux secondes. Pause.

3. Descendez de deux doigts le long du dessus du bras. Pression profonde de deux secondes. Pause.

4. Descendez encore de deux doigts et refaites la même pression.

5. Placez l'index, le médius et l'annulaire de votre main gauche dans le creux qui se trouve sous la clavicule, côté épaule. Faites une pression intense (9 kg) de deux secondes. Pause.

6. Descendez de deux doigts en direction de l'aisselle et renouvelez la même pression intense. Pause.

7. Descendez encore de deux doigts vers l'aisselle et renouvelez la pression intense.

8. Changez de main et répétez la séquence (de 1 à 7) sur les points correspondants du côté gauche.

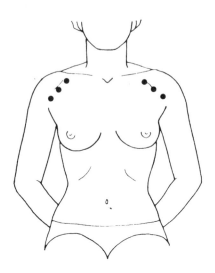

Exercice terminal

Reposez-vous un instant après cette séance de Shiatzu. Appuyez-vous au dos de votre chaise et aspirez par le nez autant d'air que vous pourrez pour remplir vos poumons. Gardez cet air durant trois secondes, puis expirez doucement par la bouche. Faites six fois au moins cet exercice.

LE SHIATZU AVEC UN PARTENAIRE
CONTRE LE TORTICOLIS
ET LES DOULEURS D'ÉPAULES

Le sommet de la tête et le milieu des épaules

Pour commencer cette séquence, votre partenaire s'étendra à plat ventre. Vous vous agenouillerez derrière sa tête, assez près pour atteindre le haut de ses épaules.

Le premier point est sur la calotte crânienne. Les deux points suivants sont sur le haut des épaules.

1. Posez le pouce droit sur le point situé au sommet de la calotte du crâne et mettez le pouce gauche sur le droit. Pression intense (9 kg) de trois secondes en direction de la colonne vertébrale. Pause.

2. Tendez le bras gauche et appuyez votre pouce sur le dessus de l'épaule droite. Le point d'épaule se trouve à trois ou quatre doigts de distance du bas de la nuque, à côté de l'os protubérant du haut de l'épaule, et légèrement en arrière. Mettez votre pouce droit sur l'ongle de votre pouce gauche et faites une pression intense (9 kg) de trois secondes. Pause. Refaites la même pression.

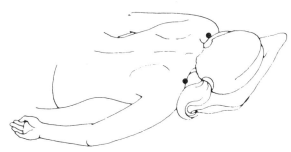

3. Déplacez-vous légèrement pour vous trouver en face de l'épaule gauche de votre partenaire. Mettez le pouce droit sur le point correspondant de l'épaule, et le pouce gauche sur l'ongle du pouce droit. Pression intense de trois secondes (9 kg). Pause. Refaites la même pression.

La base du crâne

Debout ou à genoux à califourchon au-dessus de votre partenaire, de manière à atteindre facilement sa nuque, vous mettez vos pouces côte à côte tout en haut de la nuque, dans le creux qui suit immédiatement la base du crâne.

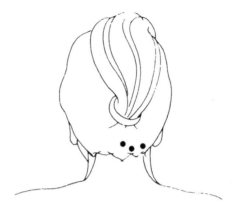

1. Pression intense de trois secondes. Pause.

2. Déplacez vos deux pouces de deux doigts vers la droite, exactement sous le bord de la boîte crânienne. Refaites la même pression intense (9 kg).

3. Amenez vos pouces à deux doigts de distance encore sur la droite, et sous le bas du crâne. Donnez une pression intense.

4. Passez à gauche, à deux doigts du milieu de la calotte crânienne. Forte pression des deux pouces (9 kg). Pause.

5. Déplacez encore vos deux pouces de deux doigts à gauche du dernier point, sous l'os crânien, et faites une pression intense comme précédemment.

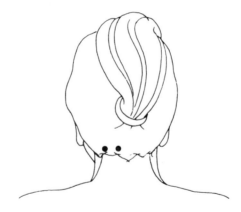

La nuque

Vous séparez vos mains et posez vos pouces tout en haut des muscles les plus importants de la nuque. Le pouce droit sur le haut du muscle de droite, juste sous l'os du crâne, et le pouce

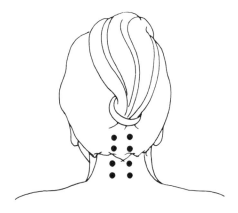

gauche sur le haut du muscle de gauche sur le point correspondant.

1. Pression intense (9 kg) sur les deux points durant trois
secondes. Pause.

2. Descendez de deux doigts le long du muscle et répétez
cette même pression de chaque côté. Pause.

3. Continuez le long des muscles, en donnant de fortes pressions jusqu'à l'omoplate.

Le haut du dos

Toujours à califourchon au-dessus de votre partenaire, posez
le pouce gauche à la droite immédiate de la vertèbre protubérante qui se trouve à la base de la nuque. Posez le pouce droit
à deux doigts de distance, à droite de cette même vertèbre.

1. Pression modérée (7 kg) des deux pouces durant trois
secondes. Pause.

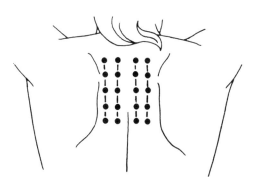

2. Descendez en ligne droite de deux doigts le long de l'épine dorsale et refaites une pression modérée avec les deux pouces. Pause.

3. Continuez à descendre sur la droite de l'épine dorsale en laissant des intervalles de deux doigts, jusqu'à ce que vous arriviez en face du milieu de l'omoplate.

4. Remontez au niveau du haut de l'épine dorsale, votre pouce droit à la gauche immédiate de l'épine dorsale, exactement sous la vertèbre protubérante du bas de la nuque, et le pouce gauche à deux doigts, à gauche du droit. Reprenez les séquences précédentes (paragraphes 1 à 3) jusqu'à ce que vous soyez en face du milieu de l'omoplate.

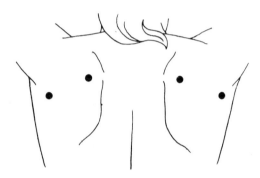

Omoplates et articulations

Le point des omoplates se trouve immédiatement sous l'arête que vous sentez le long du haut des omoplates, dans le coin le plus proche de l'épine dorsale. Le point des articulations se situe au coin de l'angle formé par l'épaule et le haut de l'os du bras. Vous presserez les points du côté droit avant de presser ceux du côté gauche.

1. Mettez le pouce gauche sous l'arête de l'omoplate droite, au bord interne du coin voisin de l'épine dorsale. Vous serrez en même temps l'épaule droite de votre main droite. Pression intense (9 kg) de trois secondes avec le pouce gauche. Pause.

2. Portez votre pouce gauche au coin de l'angle formé par l'épaule et le haut de l'os du bras. Tenez serrée l'épaule de la main droite. Pression intense (9 kg) de votre pouce gauche.

3. Inversez les mains et refaites les pressions sur les points correspondants du côté gauche.

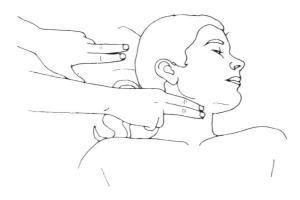

Le cou

Cette séquence, comme toutes celles qui vont suivre, a pour dessein de couvrir la région du cou et des épaules. Faites toutes les séquences sur le côté droit, puis vous passerez à la gauche de votre partenaire pour répéter les mêmes séquences du côté gauche.

Votre partenaire devra se retourner et reposer sur le dos. Agenouillez-vous à droite de son buste. Vous devez pouvoir atteindre son cou sans difficultés et sans avoir à tendre les bras. Bien que l'illustration vous désigne des points spécifiques, ne les considérez que comme des indications générales. L'important est de couvrir entièrement la région du cou de pressions. Contentez-vous de couvrir de pressions toute cette région, à partir du dessous de la mâchoire et en descendant jusqu'à la base du cou. Vous vous servirez des index, des médius et des annulaires des deux mains, en faisant alterner la droite et la gauche.

1. Mettez l'index, le médius et l'annulaire de la main droite sous le maxillaire, à côté de la partie supérieure de la trachée. Pression légère (4,5 kg) sur le haut d'une ligne formée sur le côté de la trachée (plus exactement de la trachée-artère) et le muscle. Veillez bien à ne pas presser directement sur la trachée, mais sur le muscle. Tenez deux secondes. Pause.

2. Posez l'index, le médius et l'annulaire de la main gauche sous le point que vous venez de presser avec la main droite. Refaites une pression légère.

3. Continuez de descendre en ligne droite le long de la trachée, mains alternées, en donnant des pressions légères jusqu'à ce que vous parveniez au bas du cou.

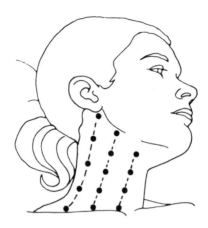

4. Ramenez vos mains en haut du cou, sous le maxillaire. Refaites des pressions, main droite et main gauche alternant, le long d'une ligne descendant jusqu'à la base du cou.

5. Poursuivez de haut en bas du cou ces pressions légères (4,5 kg) jusqu'à ce que vous ayez couvert le côté droit du cou.

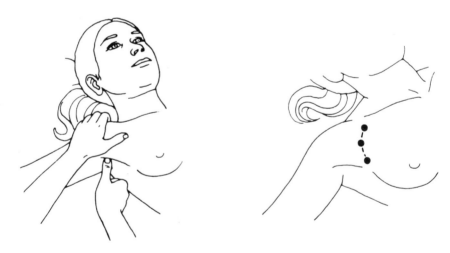

L'aisselle et l'épaule

Le premier point de cette séquence est au creux de l'aisselle, puis viennent trois points qui partent en diagonale, en descendant sur le devant de l'épaule. Enfin, trois autres points descendent sur le dessus du bras, à partir du coin supérieur de l'épaule.

1. Prenez le coin de l'épaule gauche de votre partenaire dans votre main gauche et mettez le pouce droit au plus creux de l'aisselle. Pression intense (9 kg) de deux secondes. Un arrêt, puis vous refaites la même pression.

2. Croisez l'extrémité de votre médius sur l'ongle de l'index de votre main droite. Maintenez votre prise sur l'épaule de votre partenaire et mettez les doigts dans la dépression creusée sous sa clavicule. Pression intense (9 kg) de deux secondes. Pause.

3. Portez les doigts à deux doigts de distance, en diagonale, et en direction de l'aisselle de votre partenaire, et renouvelez la pression intense. Pause.

4. Portez les doigts à deux doigts du dernier point en direction de l'aisselle et refaites la même pression intense.

5. Mettez vos pouces l'un à côté de l'autre sur le bord extérieur de l'épaule. Vos mains entoureront le bras, les doigts pénétrant sous l'aisselle. Deux secondes de pression intense (9 kg). Un arrêt, et refaites la même pression.

6. Vos pouces descendent sur le bras à deux doigts du premier point, sur le dessus du bras. A nouveau, une forte pression (9 kg). Pause. Refaites la même pression.

7. Descendez encore de deux doigts sur le bras et refaites la même pression. Une pause, et répétez cette pression.

Déplacez-vous pour vous mettre à gauche du buste de votre partenaire. Recommencez la séquence du cou, des aisselles et des bras sur les points correspondants du côté gauche.

Exercices terminaux

Votre partenaire allongera les bras derrière sa tête, et vous lui saisirez les mains afin de tirer doucement pour tendre ses bras au maximum. En même temps, votre partenaire aspirera par le nez le plus d'air possible pour remplir ses poumons, tout en étirant ses jambes et ses orteils. Tenez ainsi un instant, puis relâchez l'étreinte tandis qu'il — ou elle — expire lentement par la bouche dans une totale relaxation de tout le corps. Renouvelez six fois cet exercice.

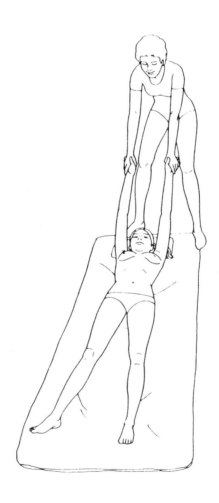

CHAPITRE X

Les douleurs de la région lombaire

Le Shiatzu peut apporter un soulagement immédiat aux douleurs du bas du dos, qu'une trop grande tension ou un effort musculaire provoquent dans la région lombaire. Si en qualité de professionnelle j'ai traité des douleurs de dos causées par toutes sortes de problèmes relatifs aux vertèbres, je dois insister sur le fait que *tout état grave ou chronique tel que le glissement d'un disque ou une dégénérescence organique ne doit être traité que par des professionnels travaillant en liaison étroite avec des médecins.*

La plupart des problèmes qui peuvent susciter des douleurs lombaires sont la conséquence d'intenses efforts physiques ou de tension émotionnelle. Les séquences de Shiatzu que j'ai mises au point tout spécialement pour de tels cas, si on les administre aussitôt que possible, dès que l'on commence à souffrir, vous libèrent d'ennuis sérieux.

Au cours des années, j'ai travaillé en relations étroites avec de nombreux danseurs et athlètes. Pour eux, les foulures et les lumbagos, comme les douleurs du bas du dos, font partie des risques du métier, et ils les acceptent comme tels, sans aller jusqu'à s'en réjouir. Le Shiatzu leur a toujours permis de reprendre leurs activités sans que leur talent en soit diminué.

Je conseille toujours de refaire cette séquence de Shiatzu au moins deux fois, à un jour d'intervalle. Il va de soi que le traitement doit être repris aussitôt que la douleur revient, si cela se produit. Mais il est recommandé de faire une deuxième séance de Shiatzu dans les vingt-quatre heures qui suivent la première, même si aucune douleur ou raideur ne subsiste.

Pour ce qui regarde les douleurs du bas du dos, j'insiste sur l'épine dorsale et sur les régions adjacentes, avant de passer à l'abdomen. Les pressions combinées sur ces régions contribuent à détendre le complexe musculaire de cette partie du corps. Si la douleur est très pénible, vous reprenez toute la séquence une deuxième fois et appliquez aussi les séquences relatives à la partie supérieure des épaules et du dos. (Voir au Chapitre V, p. 74, ces exercices de Shiatzu par soi-même, Chapitre VI, p. 99, pour le Shiatzu avec un partenaire).

CONTRE LES DOULEURS DU BAS DU DOS SOIGNEZ-VOUS VOUS-MÊME GRACE AU SHIATZU

Ces exercices sont conçus pour être exécutés en position assise sur une chaise.

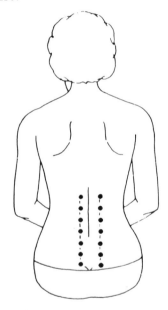

Région lombaire

Asseyez-vous en avant, de sorte que vous puissiez facilement atteindre les deux côtés de l'épine dorsale. Les points de cette région appelés à recevoir des pressions vont de la partie charnue située entre les fesses et le bas de l'échine, aussi bas que vos mains peuvent se poser. Vous presserez simultanément les points correspondants des deux côtés.

1. Mettez l'index, le médius et l'annulaire de chaque main sur le haut des fesses, au bas de l'épine dorsale, l'annulaire de chacune des mains se trouvant à un doigt de l'épine dorsale, à droite et à gauche de celle-ci. Pression forte (9 kg) de trois secondes. Pause.

2. Remontez vos mains à deux doigts du premier point le long de l'épine dorsale, et refaites une pression intense. Pause.

3. Continuez à remonter le long de l'épine dorsale en respectant un intervalle de deux doigts entre les points. Maintenez vos annulaires à un doigt de l'épine dorsale.

4. Refaites deux fois cette séquence (paragraphes 1 à 3).

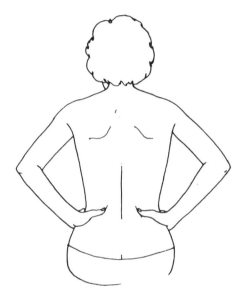

5. Posez les mains sur les hanches, les pouces tendus en direction de l'épine dorsale, à la taille. Chacun de vos pouces doit se trouver à trois doigts du milieu de l'épine dorsale, exactement sur la taille.

6. Pression intense (9 kg) des deux pouces simultanément durant trois secondes. Pause.

7. Refaites cette pression deux fois au moins. Ce point est généralement le plus tendu, si bien qu'il convient de poursuivre les pressions jusqu'à ce que vous le sentiez se détendre.

L'abdomen

Arrivé(e) à cette séquence, vous pouvez vous étendre, si cela est possible. Ce sera plus reposant, et vous serez ainsi en mesure de donner plus de force à vos pressions. Si vous ne le pouvez pas, restez sur votre chaise, mais en vous renversant un peu sur le dossier.

Sur l'abdomen, les points suivent trois lignes, la première au milieu, traversant le nombril, les deux autres formant une paire, de chaque côté, en parallèle avec la première, des deux côtés du tronc.

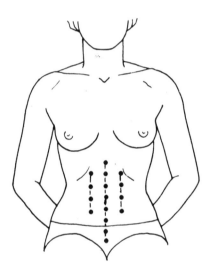

1. Vos deux mains se touchant par le bout des index et des annulaires, exactement au milieu et sous la cage thoracique, faites une pression modérée (7 kg) de trois secondes. Pause.

2. Descendez à deux doigts de ce premier point, sur la ligne centrale, et refaites une pression modérée. Pause.

3. Continuez en descendant au long de cette même ligne, en laissant chaque fois un intervalle de deux doigts. Pression modérée sur chacun des points, de trois secondes, jusqu'à ce que vous atteigniez le haut de l'os du pubis.

4. Remontez vos deux mains sous les côtes, exactement en face du bout de votre sein droit. Pression modérée (7 kg) des deux mains durant trois secondes. Pause.

5. Vos mains s'arrêteront à mi-parcours de la ligne, sur la taille. Refaites une pression modérée de trois secondes. Pause.

6. Les deux mains descendent un peu plus bas. Renouvelez la même pression. Pause.

7. Le dernier point se trouve entre la taille et l'aine. Pression modérée, trois secondes, à répéter deux fois encore.

8. Amenez vos mains sur le point correspondant du côté gauche de l'abdomen et recommencez la séquence (paragraphes 4 à 7) sur les points correspondants du côté gauche.

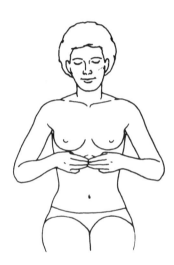

9. Appuyez vos deux paumes sur votre abdomen. Pressez légèrement (4,5 kg) et régulièrement avec les deux paumes simultanément. Vous déplacez vos mains afin que le ventre tout entier reçoive des pressions légères. Insistez sur les endroits où vous sentez que les muscles sont les plus tendus, jusqu'à ce qu'ils reprennent leur élasticité.

Exercices terminaux

Reposez-vous quelques instants, après cette série de Shiatzu. Appuyez-vous au dossier de votre chaise et aspirez par le nez tout l'air que vous pourrez afin d'en remplir vos poumons. Gardez cet air pendant trois secondes, puis exhalez lentement par la bouche. Vous recommencerez cet exercice au moins six fois.

LE SHIATZU AVEC UN PARTENAIRE
POUR LES DOULEURS LOMBAIRES

Le bas de l'épine dorsale

Votre partenaire se couchera à plat ventre sur une couverture repliée, posée à même le sol, et la tête dans les mains, sur une serviette repliée. Mettez-vous à cheval au-dessus de ses jambes, afin d'atteindre facilement la partie inférieure de sa colonne vertébrale. En promenant votre pouce sur l'épine dorsale, vous sentirez au toucher les dépressions creusées entre les vertèbres. C'est dans ces cavités que vous ferez les pressions, vos pouces droit et gauche alternant, en commençant au-dessus de la taille pour finir tout en bas de l'épine dorsale. Vous ferez ces pressions à bras tendus, le poids du haut de votre corps se transmettant à vos pouces, et à travers eux, à votre partenaire.

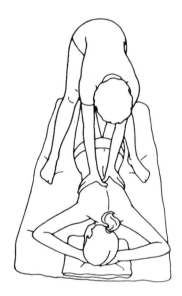

1. A quatre ou cinq doigts au-dessus de la taille, et au milieu de celle-ci, appuyez votre pouce droit. Pression modérée de trois secondes (7 kg). Pause.

2. Posez votre pouce gauche sur la cavité suivante de l'épine dorsale. Répétez la même pression modérée. Pause.

3. Continuez le long de l'épine dorsale jusqu'au coccyx, en faisant alterner vos pouces. Pression modérée sur chaque point.

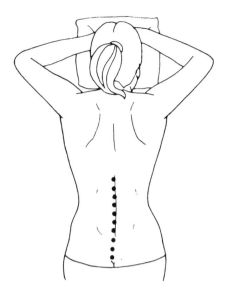

4. Répétez les séquences précédentes (de 1 à 3 inclus) deux fois encore.

Les côtés droit et gauche de l'épine dorsale

Sans changer de position, posez le pouce gauche tout à côté de l'épine dorsale, à cinq doigts de distance, et au-dessus, de la taille. Le pouce droit se posera à deux doigts de distance, en allant sur la droite.

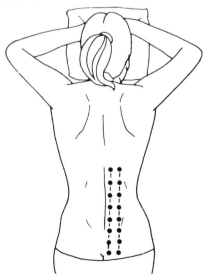

1. Pression modérée des deux pouces durant trois secondes. Pause.

2. Descendez les deux pouces de deux doigts en ligne droite le long de l'épine dorsale. Refaites la même pression. Pause.

3. Continuez en descendant le long de l'épine dorsale à des intervalles de deux doigts. Sur chaque point, pression modérée de trois secondes, une pause, puis vous continuez jusqu'à un point à mi-chemin de la fesse.

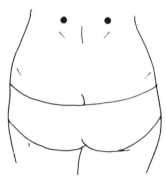

4. Répétez deux fois encore la séquence ci-dessus (de 1 à 3 inclus).

5. Passez à droite de votre partenaire. Mettez le bout du pouce gauche sur l'ongle de votre pouce droit, posez-les sur un point de la taille qui se trouve sur le haut du gros cordon musclé qui descend parallèlement à l'épine dorsale. Pression intense (9 kg) de trois secondes, en appuyant du côté de l'épine dorsale. Pause.

6. Refaites cette même pression au moins deux fois. Ce point est généralement le plus tendu, de sorte qu'il faut renouveler la pression jusqu'à ce que le muscle retrouve son élasticité.

7. Remettez-vous à cheval au-dessus de votre partenaire, et posez votre pouce droit immédiatement à côté de l'épine dorsale, à la gauche de celle-ci, à quatre ou cinq doigts, et au-dessus de la taille. Votre pouce gauche se posera à deux doigts de distance du droit, et sur sa gauche. Répétez la première séquence (paragraphes 1 à 4 inclus) sur les points qui descendent le long de l'épine dorsale.

8. Passez sur le côté gauche de votre partenaire et répétez la deuxième séquence (paragraphes 5 et 6) sur le point gauche hanche-taille.

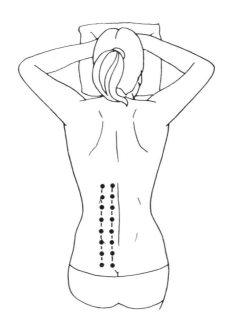

L'abdomen

Votre partenaire se tourne sur le dos. Agenouillez-vous près de la hanche droite de votre partenaire de manière à pouvoir atteindre la région située entre le bas de la cage thoracique jusqu'au haut de la cuisse. C'est sur ce parcours situé entre le bas de la cage thoracique et le haut des cuisses que les points de l'abdomen se suivent sur trois lignes.

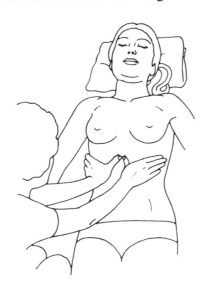

1. Les deux pouces posés côte à côte sous la cage thoracique, juste au milieu, faites une pression modérée (7 kg) de trois secondes. Pause.

2. Descendez de deux doigts sur la ligne centrale et faites une pression modérée. Pause.

3. Continuez à descendre au long de cette ligne centrale, en laissant un intervalle de deux doigts entre les points, jusqu'à ce que vous arriviez au sommet de l'os du pubis.

4. Séparez vos pouces et mettez-en un au niveau des pointes des seins sous la cage thoracique. Faites des pressions modérées (7 kg) de trois secondes, et simultanément sur les côtés gauche et droit. Pause.

5. Vos pouces descendant en ligne droite à mi-chemin de la taille, refaites la même pression modérée. Pause.

6. Descendez encore vers la taille. Refaites une pression modérée des deux pouces. Pause.

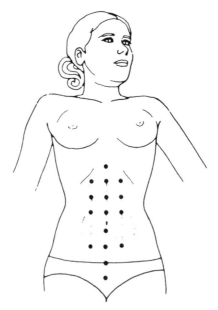

7. Vous arrivez aux points situés entre la taille et l'aine. Pression modérée de trois secondes.

Agenouillez-vous à côté de votre partenaire. Posez les mains sur son ventre. Vous effectuerez des pressions avec vos deux paumes, simultanément, en les déplaçant jusqu'à ce que vous ayez couvert toute la surface du ventre de pressions douces. Insistez sur les parties où vous sentez une résistance des muscles, et poursuivez les pressions jusqu'à ce que ces muscles retrouvent leur élasticité.

Exercices terminaux

Votre partenaire étendra ses bras sur le sol, derrière sa tête. Vous saisissez ses mains et tirez doucement ses bras vers vous. Il — ou elle — aspirera en même temps tout l'air qu'il — ou elle — pourra, afin de remplir ses poumons, tout en étirant ses jambes et ses orteils. Après quelques instants, relâchez votre étreinte sur ses mains, pendant que votre partenaire expire lentement par la bouche l'air qu'il — ou elle — a gardé, et laisse tout son corps se détendre. Vous répétez cet exercice six fois.

CHAPITRE XI

Constipation et diarrhée

Le Shiatzu a le pouvoir de vous débarrasser des troubles désagréables que provoquent la constipation et la diarrhée, lorsque leur origine se rattache à la tension nerveuse et à des angoisses émotionnelles. Le Shiatzu facilite vos transits digestifs et intestinaux et rend à votre organisme l'équilibre qui maintient les intestins en bon état.

Les exercices shiatzu que je conseille sont similaires pour la constipation et la diarrhée. Ce qui s'explique par le fait que ces deux problèmes, contraires en apparence, indiquent un mauvais fonctionnement du même système.

Bien que les deux problèmes réagissent au même traitement, leurs symptômes sont fort différents. La constipation se manifeste graduellement et devient souvent chronique chez des sujets hypertendus. Lorsque j'examine un patient souffrant de constipation, je sens toujours une sorte de bosse importante à gauche du nombril. C'est une masse de matières fécales qui s'est collée à la paroi intestinale. En raison de la tension nerveuse, la contraction et la dilatation du côlon prennent du retard, ce qui provoque l'immobilisation des matières fécales. Le Shiatzu remet en ordre la régularité des mouvements musculaires du côlon et les déchets corporels s'éliminent normalement.

Un traitement shiatzu quotidien sera nécessaire pour ramener l'organisme à la normale. La durée du traitement varie selon les individus et suivant que la constipation est récente ou ancienne, mais, pour la vaincre, on ne peut fixer de délai. Cependant, au bout de huit ou dix jours, des résultats appréciables doivent être observés.

Les crises de diarrhée sont plus soudaines, et elles se produisent de façon intermittente chez des personnes en proie à une angoisse émotionnelle. La diarrhée survient lorsque les mouvements musculaires du côlon deviennent spasmodiques au lieu de garder régularité et stabilité. Les pressions shiatzu remédient efficacement à ces désordres, en restituant aux systèmes circulatoire et musculaire leur fonctionnement normal. Il est probable que deux ou trois traitements shiatzu quotidiens seront nécessaires pour vaincre ces troubles. S'ils se manifestent de nouveau au bout de quelques jours, vous recommencerez les exercices indiqués. Leur récurrence diminuera de plus en plus.

Avertissement : ne faites jamais des pressions shiatzu sur des personnes souffrant d'ulcères ou de toute autre maladie abdominale. Ne les appliquez pas davantage à des personnes présentant sur l'abdomen une sensibilité quelconque au toucher, ou une douleur, ou à des sujets atteints de fièvre, même légère. Sachez qu'en outre, sans être nocif, le Shiatzu resterait inefficace sur des personnes atteintes de diarrhée causée par des agents extérieurs tels que colorants alimentaires ou virus.

Dans les exercices shiatzu indiqués pour combattre la constipation et la diarrhée, les pressions se font d'abord sur les points principaux de la tête et du cou. Ceci réduit à son minimum la tension nerveuse et repose le cerveau. Vient ensuite le bas du dos, pour diminuer encore la tension. Enfin, l'on passe au Shiatzu sur l'abdomen, qui constitue la partie la plus importante du traitement. Il faut poursuivre les pressions sur toute la région du ventre jusqu'à ce que la raideur des muscles ait disparu et que ceux-ci aient retrouvé toute leur élasticité.

CONTRE LA CONSTIPATION OU LA DIARRHÉE, LE SHIATZU PAR VOUS-MÊME

La tête

Vous pouvez faire toute cette séquence shiatzu assis sur une chaise.

Mettez l'index, le médius et l'annulaire des deux mains réunis sur le sommet de la calotte crânienne.

1. Pression intension (9 kg) de trois secondes. Pause.
2. Recommencez cette pression intense. Pause.
3. Refaites encore une fois cette pression.

4. Amenez vos mains tout en bas du crâne, dans le creux formé à l'endroit où le haut de la nuque rejoint le crâne. Pression intense de trois secondes avec les trois doigts indiqués, et des deux mains en même temps. Pause.

5. Refaites encore deux fois cette pression.

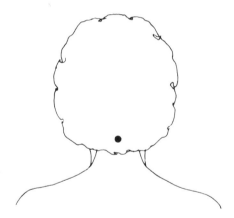

Le bas du dos

Asseyez-vous sur le devant de votre chaise de manière à ce que vous puissiez toucher le bas de la colonne vertébrale. Les points à presser sur le bas du dos vont de la partie charnue du haut des fesses et remontent jusqu'à la moitié du dos, en suivant l'épine dorsale, aussi haut que vous le pourrez. Vous presserez simultanément les points correspondants des deux côtés.

1. L'index, le médius et l'annulaire des deux mains se posent de chaque côté de la colonne vertébrale, tout en bas de celle-ci, et à un doigt de distance pour la main gauche comme pour la

main droite, à gauche et à droite de l'épine dorsale. Pression intense (9 kg) de trois secondes. Pause.

2. Vos mains remontent de deux doigts au-dessus du premier point et à ia même distance de l'épine dorsale. Refaites la même pression. Pause.

3. Continuez en remontant le long de la colonne vertébrale, en laissant deux doigts d'intervalle entre les points, et en maintenant les médius à un doigt de la colonne, à droite comme à gauche.

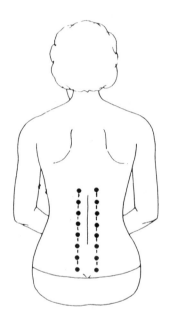

4. Refaites encore deux fois cette séquence.

Les hanches

Toujours au bord de la chaise, vous posez vos mains sur le haut des os des hanches, les pouces tendus sur la taille en direction de la colonne vertébrale. Chacun des deux pouces doit être à trois doigts de la colonne vertébrale, et exactement sur la taille.

1. Pression profonde et simultanée des deux pouces (9 kg) durant trois secondes. Pause.

2. Refaites cette pression intense. Pause.

3. Refaites encore une fois cette même pression. Pause.

4. Mettez vos mains sur les os des hanches, et portez vos pouces aussi bas que possible, près des fesses. Cherchez au-dessus de la partie la plus charnue des fesses, les points à presser. Pression intense (9 kg) sur chaque point, des deux pouces simultanément. Pause.

5. Renouvelez cette pression intense à deux reprises.

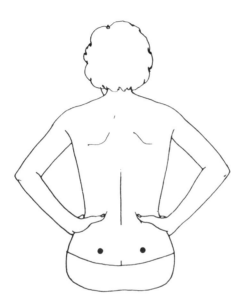

Le devant et les côtés du cou

Pour presser les points du cou, vous utiliserez l'index, le médius et l'annulaire des deux mains, la main droite pour le côté droit, la main gauche pour le côté gauche. Bien que des points spécifiques soient indiqués sur l'illustration, considérez-les plutôt comme une indication générale. L'important est de couvrir toute la région du cou de pressions légères et modérées. Vous presserez simultanément les points correspondants.

1. L'index, le médius et l'annulaire de votre main droite se portent sous la mâchoire tout en haut d'une ligne formée par le muscle du cou et la trachée. Vous faites la même chose à gauche avec la main gauche. Pression légère (4,5 kg) de deux

secondes. Pressez bien sur le muscle, et non sur la trachée. Pause.

2. Vos doigts descendent légèrement et vous faites une nouvelle pression légère. Pause.

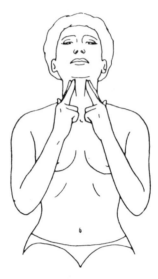

3. Continuez sur la même ligne jusqu'à la base du cou, avec une pression modérée de deux secondes sur les deux points.

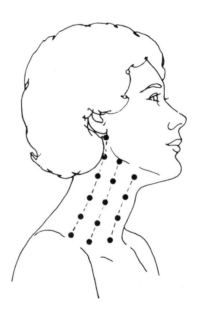

4. Ramenez vos mains sous la mâchoire, à quelque distance des premiers points, et des deux côtés du cou. Refaites les mêmes pressions sur les deux côtés du cou, en ligne droite jusqu'à la base du cou.

5. Poursuivez les pressions du haut en bas du cou, en vous rapprochant chaque fois de l'oreille, jusqu'à ce que vous ayez couvert de pressions le devant et les deux côtés du cou.

L'abdomen

Appuyez-vous au dossier de votre chaise. Sur l'abdomen, les points suivent cinq lignes verticales descendant de la cage thoracique jusqu'à l'aine. La première ligne descend au centre du centrale, vous presserez les points du côté droit avant de passer ventre et traverse le nombril. Deux autres lignes parallèles descendent à droite et à gauche de cette ligne centrale. Enfin, deux autres lignes suivent celles-ci. Après en avoir fini avec la ligne centrale, vous presserez les points du côté droit avant de passer aux points du côté gauche.

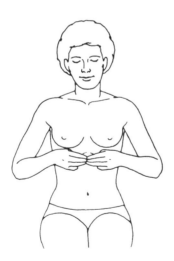

1. Mettez l'index, le médius et l'annulaire des deux mains, se faisant face et se touchant, sous le sternum, au milieu de la cage thoracique. Pression modérée (7 kg) des deux mains, durant trois secondes. Pause.

2. Descendez de deux doigts sur la ligne centrale et refaites une pression modérée. Pause.

3. Continuez à descendre le long de la ligne centrale à deux doigts d'écart entre les pressions qui seront modérées et de trois secondes sur chaque point, jusqu'à ce que vous arriviez à l'aine.

4. Posez vos mains à quatre doigts à droite de la ligne centrale, l'index, le médius et l'annulaire des deux mains exactement sous la dernière côte. Pression modérée (7 kg) de trois secondes. Pause.

5. Poursuivez à deux doigts d'intervalle en descendant le long de cette ligne. Donnez des pressions modérées de trois secondes, jusqu'à ce que vous parveniez à la base du tronc.

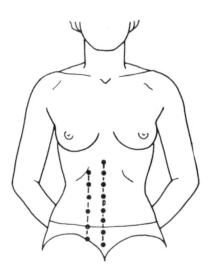

6. Amenez vos mains à quatre doigts encore sur la droite. L'index, le médius et l'annulaire des deux mains se posent directement sous la dernière côte, la plus basse. Pression modérée (7 kg) de trois secondes. Pause.

7. Continuez à descendre au long de cette ligne en respectant l'écart de deux doigts, jusqu'à ce que vous arriviez à la pliure de la cuisse. Pression modérée de trois secondes sur chaque point.

8. Déplacez vos mains sur la gauche, à quatre doigts de la ligne centrale, l'index, le médius et l'annulaire de chaque main posés sous la dernière côte. Pression modérée de trois secondes. Pause.

9. Continuez à descendre au long de cette ligne, en laissant deux doigts d'écart entre les points, avec une pression modérée sur chaque point, jusqu'à ce que vous parveniez à la base du tronc.

10. Vous vous écartez encore de quatre doigts sur la gauche et recommencez la même série de pressions à deux doigts d'intervalle entre les points, jusqu'à la pliure de la cuisse.

11. Vous finissez en appliquant vos deux paumes sur le ventre. Vous ferez des pressions simultanées et légères (4,5 kg) des deux paumes. Déplacez-les de manière à ce que le ventre tout

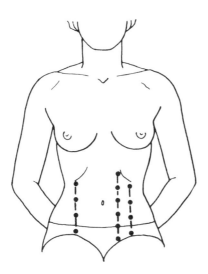

entier reçoive ces pressions légères. Insistez sur les régions que vous sentez tendues, jusqu'à ce qu'elles reprennent leur souplesse.

Exercices terminaux

Reposez-vous quelques instants lorsque vous aurez terminé cette série de Shiatzu. Appuyez-vous au dossier de votre chaise, et aspirez par le nez autant d'air que vous pouvez pour en remplir vos poumons. Gardez cet air trois secondes, puis expirez lentement par la bouche. Recommencez cet exercice six fois au moins.

CONTRE LA CONSTIPATION
ET LA DIARRHÉE, LE SHIATZU
AVEC UN PARTENAIRE

Votre partenaire s'étendra face au sol sur une couverture repliée, les bras le long du corps, le front sur un coussin dur ou sur une serviette pliée.

La tête et le cou

Commencez cette séquence en vous agenouillant au-dessus de la tête de votre partenaire, assez près pour que vous touchiez le haut de sa tête sans difficulté.

1. Placez votre pouce droit sur le point situé au milieu du dessus de la tête et mettez votre pouce gauche sur l'ongle du pouce droit. Pression intense (9 kg) de trois secondes. Vous presserez en appuyant en direction de l'épine dorsale. Pause.

2. Répétez cette pression profonde en direction de l'épine dorsale. Pause.

3. Refaites la même pression une fois encore.

4. Changez de position et, soit debout, soit à genoux, à cheval au-dessus de votre partenaire, le poids de votre corps portant

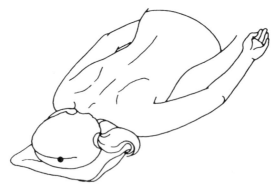

sur les jambes, appuyez votre pouce droit sur le creux qui se trouve à la base du crâne, à la jonction de celui-ci avec la nuque. Votre pouce gauche sur l'ongle du droit, faites une pression intense (9 kg) de trois secondes. Pause.

5. Recommencez cette pression à deux reprises.

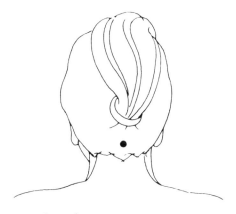

Le bas de l'épine dorsale

Déplacez-vous de façon à vous trouver à califourchon au-dessus des cuisses de votre partenaire, et afin de pouvoir atteindre facilement la moitié inférieure de la colonne vertébrale. Promenez votre pouce sur cette épine dorsale pour trouver les cavités logées entre les vertèbres. C'est dans ces cavités que vous ferez des pressions, les deux pouces en alternance, en commençant au-dessus de la taille, pour finir au bas de la colonne vertébrale. Vous ferez ces pressions à bras tendus, le poids de votre corps se transmettant en descendant à vos mains et à travers vos pouces.

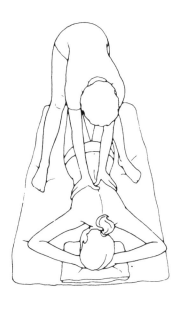

1. Posez le pouce droit dans la cavité située à quatre ou cinq doigts au-dessus de la taille. Pression modérée (7 kg) de trois secondes. Pause.

2. Posez le pouce gauche dans la cavité suivante en descendant le long de l'épine dorsale. Pression modérée de trois secondes. Pause.

3. Continuez en descendant le long de la colonne vertébrale jusqu'au coccyx, en faisant alterner vos pouces dans les cavités séparant les vertèbres, exerçant sur chaque point une pression modérée (7 kg).

4. Refaire deux fois encore la séquence ci-dessus (de 1 à 3 inclus).

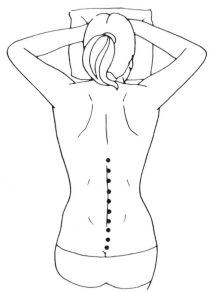

A droite et à gauche de la colonne vertébrale

Sans changer de position, mettez votre pouce gauche juste à côté de l'épine dorsale, à quatre ou cinq doigts à droite, au-dessus de la taille, et mettez votre pouce droit à deux doigts du gauche sur la droite de celui-ci.

1. Pression modérée (7 kg) des deux pouces durant trois secondes. Pause.

2. Déplacez les deux pouces de deux doigts en descendant tout droit le long de l'épine dorsale. Renouvelez la pression. Pause.

3. Continuez à droite de l'épine dorsale, en respectant l'écart de deux doigts, et en descendant jusqu'à un point qui se trouve au milieu de la fesse. Sur chaque point, pression modérée (7 kg).

4. Refaites la séquence ci-dessus (de 1 à 3) deux fois encore.

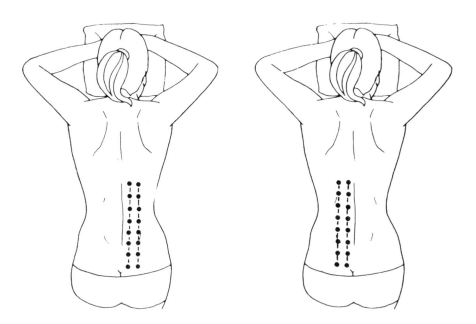

5. Vous allez passer maintenant au côté gauche de la colonne vertébrale de votre partenaire. Posez votre pouce droit tout à côté de l'épine dorsale, à gauche, et à quatre ou cinq doigts au-dessus de la taille. Mettez votre pouce gauche deux doigts plus loin sur la gauche de cette même ligne. Pression modérée (7 kg) durant trois secondes. Pause.

6. Vos deux pouces descendent de deux doigts en ligne droite sur la gauche de la colonne vertébrale, et vous refaites la même pression.

7. Continuez les pressions sur le côté gauche de l'épine dorsale à deux doigts d'intervalle. Pression modérée (7 kg) de trois secondes sur chaque point, une pause, puis vous continuez jusqu'au milieu de la fesse gauche.

8. Refaites deux fois encore cette même séquence (de 5 à 7 inclus).

Les hanches

Deux points sur chacune des hanches reçoivent des pressions. Le premier se trouve sur la taille, à mi-chemin de l'épine dorsale et de la cambrure de la taille. Le second point est sur la fesse. Commencez par le côté droit.

1. Agenouillez-vous à la droite de votre partenaire. Posez le bout de votre pouce gauche sur l'ongle de votre pouce droit, et sur le point de la taille. Pression modérée (7 kg) de trois secondes. Pause.

2. Refaites deux fois cette pression. Ce point est généralement dur. Continuez de presser jusqu'à ce que vous le sentiez détendu.

3. Descendez vos mains et posez vos pouces côte à côte sur la partie la plus charnue de la fesse, en ligne directe avec le bas de l'omoplate. Pression modérée (7 kg) de trois secondes. Pause.

4. Renouvelez deux fois encore cette pression.

5. Passez à gauche de votre partenaire et répétez toute la séquence ci-dessus (de 1 à 4 inclus) sur les points correspondants du côté gauche.

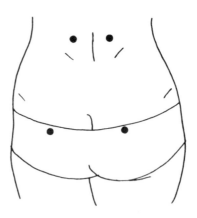

Le cou

Votre partenaire se retourne maintenant et reste sur le dos. Agenouillez-vous à sa droite, près de son buste, assez près pour que vous n'ayez pas à faire un effort pour atteindre son cou. Les points spécifiques que vous voyez sur l'illustration ne vous serviront que d'indication générale. L'important est de couvrir de pressions la région du cou tout entière. Pour y parvenir, vous commencerez sous la mâchoire et vous descendrez jusqu'à la base du cou, en utilisant l'index, le médius et l'annulaire de chaque main, la droite et la gauche alternant.

1. Mettez l'index, le médius et l'annulaire de votre main gauche sous le devant de la mâchoire, tout à côté de la trachée. Pression légère (4,5 kg) tout en haut d'une ligne formée par la trachée et le muscle du cou. Veillez bien à ne pas presser sur la trachée, mais sur le muscle. Deux secondes de pression. Pause.

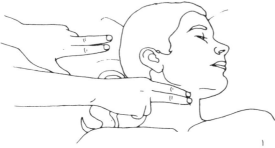

2. Mettez l'index, le médius et l'annulaire de la main gauche juste en dessous du point que vous venez de presser avec la main droite. Renouvelez la pression légère.

3. Continuez en descendant tout droit le long de la trachée, mains alternant pour donner des pressions légères, jusqu'à la base du cou.

4. Ramenez vos mains sous la mâchoire tout en haut du cou, et refaites des pressions alternées des deux mains, au long de la ligne qui descend jusqu'à la base du cou.

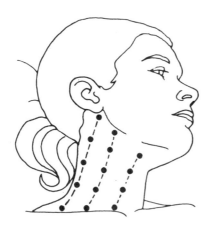

5. Poursuivez ces pressions légères (4,5 kg) du haut du cou à la base, jusqu'à ce que vous ayez couvert toute la partie droite du cou.

6. Passez à la gauche de votre partenaire et refaites toute la séquence (de 1 à 5) sur le côté gauche du cou.

L'abdomen

Agenouillez-vous à côté de la hanche droite de votre partenaire, de manière à atteindre aisément la région abdominale entre le bas de la cage thoracique et le haut des cuisses. Sur le ventre, les points suivent cinq lignes perpendiculaires, allant du bas de la cage thoracique à la base du tronc. Vous presserez les points correspondants des deux côtés, simultanément.

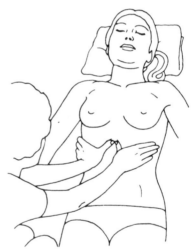

1. Mettez vos deux pouces à côté l'un de l'autre exactement sous le sternum. Pression modérée (7 kg) de trois secondes. Pause.

2. Descendez à mi-chemin du nombril sur cette première ligne centrale. Faites une nouvelle pression modérée. Pause.

3. Continuez au long de cette ligne centrale à intervalles réguliers, en faisant des pressions modérées de trois secondes sur chacun des points, jusqu'à ce que vous atteigniez l'aine.

4. Séparez vos pouces et posez-les sur la taille, à quatre doigts de chaque côté de la ligne centrale. Pression modérée et simultanée des deux pouces, durant trois secondes. Pause.

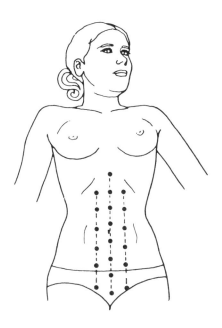

5. Continuez au long de ces lignes en laissant des écarts de deux doigts entre les points. Pression modérée de trois secondes sur les deux points correspondants à la fois, une pause, puis continuez pour finir à l'aine.

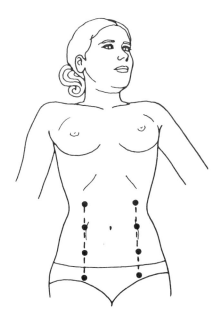

6. Ramenez vos mains sur la taille, à quatre doigts du point de départ, sur les côtés. Pression modérée (7 kg) de trois secondes. Pause.

7. Continuez de descendre sur ces lignes en laissant des écarts de deux doigts entre les points, jusqu'à la cuisse. Pression modérée de trois secondes sur chaque point.

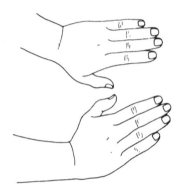

Agenouillez-vous à côté du ventre de votre partenaire et posez vos deux mains dessus, côté paumes. Pressions régulières et légères avec les deux paumes appuyant simultanément. Vos mains couvriront l'abdomen de ces pressions douces. Prêtez une attention particulière à la partie inférieure de l'abdomen.

Exercices terminaux

Votre partenaire étendra ses bras sur le sol, derrière sa tête. Saisissez-lui les mains et tirez doucement sur ses bras. En même temps, votre partenaire remplira d'air ses poumons au maximum, en aspirant par le nez, tout en étirant jambes et orteils. Après quelques instants, relâchez votre pression sur ses mains et ses bras, tandis qu'elle (ou il) expire lentement l'air aspiré par la bouche, son corps totalement détendu. Vous lui ferez recommencer six fois cet exercice.

CHAPITRE XII

La tendinite du coude

Le Shiatzu peut hâter votre guérison si vous êtes atteint de tendinite, cause de grande gêne physique et de souffrance. La tendinite du coude apparaît chez des personnes dont les muscles se sont raidis, généralement à la suite d'efforts physiques prolongés. Dans cet état de tension musculaire, un mouvement du coude anormal, manquant de fluidité, peut provoquer une compensation, c'est-à-dire que les tendons qui rattachent les muscles du bras au coude forcent leur tension pour compenser le manque d'élasticité des muscles. Ces efforts causent une inflammation du tendon à la jointure. La souffrance qui en résulte de la pression exercée par le tendon sur le nerf ulnaire, qui se trouve derrière l'os cubital, à l'arrière du coude. Le Shiatzu peut porter remède à l'inflammation du coude dès qu'elle se manifeste.

Pour soigner une tendinite du coude, je fais des pressions intenses sur les épaules, puis d'un bout à l'autre du bras malade. Je porte une attention toute particulière à la jointure du coude. Les pressions shiatzu sur la jointure ou dans le voisinage immédiat peuvent être douloureuses au début, mais la douleur s'atténue assez rapidement. Je conseille un traitement shiatzu au moins deux fois par jour — le matin et à nouveau le soir avant le coucher. Si l'on en trouve le temps, il est préférable de faire le traitement toutes les trois ou quatre heures durant la journée. Cela hâtera la guérison. Lorsque j'ai terminé la séquence d'exercices, je reviens toujours aux points les plus sensibles du coude, pour refaire quelques pressions. Je conseille aussi à ceux qui souffrent de tendinite du coude de s'abstenir de jouer au tennis ou à quelque autre jeu exigeant un effort du bras, jusqu'à ce que la douleur ait complètement disparu.

Vous pouvez minimiser les risques de retour de cette affection ou même en éviter une première attaque par le Shiatzu, avant et après vos parties de tennis. Il ne faut que quelques minutes, et quelques pressions mettent les muscles de vos épaules et de vos bras en excellent état de relaxation et d'élasticité.

J'ai vérifié, en outre, que l'on peut augmenter l'efficacité du Shiatzu dans les cas de tendinite du coude, en mouillant la région atteinte avant et après le traitement. Il suffit pour cela de mettre le coude sous un robinet d'eau chaude — non pas bouillante — et de laisser l'eau couler sur le coude, le robinet grand ouvert, afin que la pression exercée sur le coude soit énergique. Deux ou trois minutes suffisent.

Les exercices shiatzu décrits dans les paragraphes suivants concernent un coude droit atteint d'inflammation. Si c'est le coude gauche qui est atteint, il suffit d'inverser les instructions, en changeant : main droite sur bras gauche, au lieu de main gauche sur bras droit.

LE SHIAZU PAR VOUS-MÊME
CONTRE LA TENDINITE DU COUDE

Les dessins qui illustrent les séquences suivantes laissent supposer que vous les faites chez vous, dans l'intimité, mais on peut les faire n'importe où, au besoin pendant que vous attendez votre tour de pénétrer sur le court de tennis. Celles-ci impliquent la position assise, soit sur une chaise, soit sur un banc.

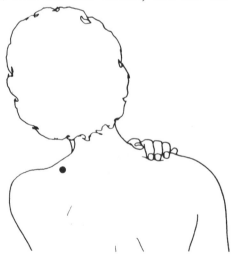

Les épaules

De l'index, du médius et de l'annulaire de la main gauche, cherchez le point à presser sur l'épaule droite. Il se trouve à mi-chemin entre la base de la nuque et le bord de l'épaule. Promenez vos doigts, en appuyant légèrement, sur l'arrière du muscle de l'épaule. Quand vous touchez le point sensible, vous avez trouvé.

1. Pression intense (9 kg) de trois secondes. Une pause, puis refaites encore deux pressions.

2. Localisez le point correspondant sur l'épaule gauche, à l'aide des doigts de la main droite. Faites une pression intense de trois secondes. Refaites ensuite deux fois cette même pression.

Le haut de la colonne vertébrale et les omoplates

Il faudra étirer votre bras gauche le plus possible pour atteindre les points de ce secteur. Amenez votre main droite aussi bas dans le dos que vous le pouvez, l'index devant se trouver immédiatement à la droite de l'épine dorsale.

1. Pression intense (9 kg) de trois secondes, avec l'index, le médius et l'annulaire. Pause.

2. Remontez votre main à deux doigts du point précédent, toujours à côté de l'épine dorsale, et faites la même pression. Pause.

3. Continuez de remonter en longeant l'épine dorsale et en laissant le même intervalle de deux doigts, jusqu'à l'épaule. Pression intense sur chaque point durant trois secondes.

4. Mettez l'index, le médius et l'annulaire de votre main gauche au milieu de l'omoplate, à l'intérieur du bord de l'omoplate. Trois secondes de pression intense (9 kg).

5. Refaites cette séquence sur les points correspondants de l'épaule gauche. Mais si votre coude droit est trop douloureux, abstenez-vous.

Le dosage des exercices dans cette section est destiné aux joueurs droitiers. Si vous êtes gaucher, vous ferez les mêmes exercices à l'aide de la main droite sur le bras gauche.

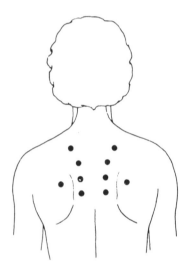

L'aisselle

Levez le bras droit et appuyez votre pouce gauche au creux de l'aisselle droite. Trois secondes de pression intense (9 kg).

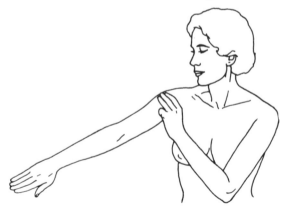

La face externe du haut du bras

Mettez l'index, le médius et l'annulaire de votre main gauche au milieu de la face externe du bras gauche, à deux doigts du dessus de l'épaule. Votre pouce se trouvera sous l'aisselle. Les points suivent une ligne descendante, de l'épaule au coude, au milieu de la face externe du bras.

1. Pression intense (9 kg) de trois secondes. Pause.

2. Descendez de deux doigts au milieu du bras et refaites la même pression. Pause.

3. Continuez sur la même ligne, en respectant l'écart de deux doigts entre les points, jusqu'à ce que vous atteigniez le coude.

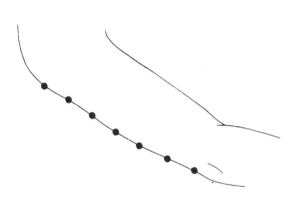

L'extérieur du coude

Pliez le bras. Mettez l'index, le médius et l'annulaire de votre main gauche dans la cavité que vous sentirez entre les os du coude.

1. Pression intense (9 kg) de trois secondes. Pause.

2. Recommencez deux fois cette pression.

La face externe de l'avant-bras

Sur cette partie du bras, les points descendent tout droit du coude au milieu du poignet.

1. Votre pouce posé sur le creux de l'extérieur du coude droit, les autres doigts enveloppant le coude, donnez une forte pression (9 kg) à l'aide du pouce, durant trois secondes. Pause.

2. Votre pouce descend de deux doigts le long du muscle qui occupe toute la longueur de l'avant-bras. Trois secondes de pression intense. Pause.

3. Continuez les pressions à deux doigts d'intervalle, jusqu'à ce que vous arriviez au poignet. Le dernier point se trouve au milieu du dessus du poignet.

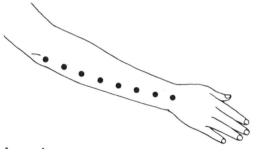

Le dessus du poignet

Trois points se suivent sur le dessus du poignet, formant comme un bracelet, dans les légères dépressions creusées sous l'os du poignet. Vous presserez à l'aide du pouce.

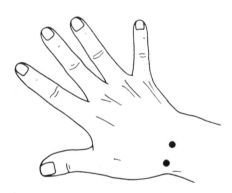

1. Posez le pouce sur le premier point, situé sous la base du pouce. Pression modérée (7 kg) de trois secondes. Pause.

2. Posez le pouce au milieu du poignet et refaites cette même pression. Pause.

3. Le dernier point est sous l'os du poignet. Même pression modérée de trois secondes. Pause.

4. Refaire deux fois encore toute cette séquence.

Le dos de la main

Ecartez les doigts de votre main droite. Les points se trouvent entre les tendons qui vont de votre poignet aux premières articulations, là où se creusent de légères dépressions.

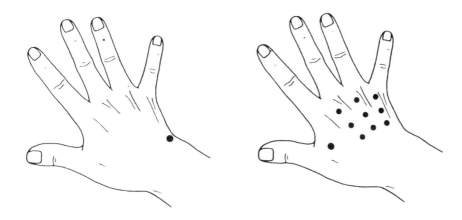

1. Posez le pouce gauche sur la petite protubérance musclée qui surmonte la légère cavité qui se trouve à la base du pouce, à la jointure. Votre index appuiera exactement au même niveau, mais sous la main. Pression intense (9 kg) de trois secondes, les deux doigts serrant en même temps. Pause.

2. Refaire deux fois cette même pression.

3. A mi-chemin du poignet et de la première phalange, posez le pouce sur la dépression qui sépare les tendons. Pression modérée (7 kg) de trois secondes. Pause.

4. Descendez un peu sur cette dépression, refaites une pression, puis une seconde entre les articulations.

5. Refaites toute cette séquence entre les tendons séparant le médius et l'annulaire, puis entre ceux qui séparent l'annulaire du tendon du petit doigt.

Les doigts

Votre pouce comme vos autres doigts doivent recevoir des pressions sur le dessus, le dessous et les côtés de chacun des os, entre les jointures.

1. Prenez le dessus et le dessous de la première articulation de votre pouce droit entre votre pouce gauche et l'index. Vous serrez bien pour donner la pression modérée (7 kg) de trois secondes. Pause.

2. Le pouce gauche appuie sur le bas de l'ongle du pouce droit. L'index appuiera exactement en face, de l'autre côté du pouce. Pression modérée en serrant des deux doigts (7 kg) durant trois secondes. Pause.

3. Entre le pouce et l'index gauches, serrez les côtés de la première articulation de votre pouce droit. Pression modérée de trois secondes (7 kg). Pause.

4. Le pouce et l'index gauches serrent maintenant les côtés du pouce droit. Renouvelez la pression.

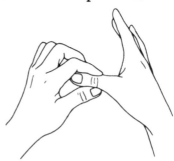

Vous presserez chacun des doigts de votre main droite de la même façon. Pressez la première et la deuxième articulations de chaque doigt, d'abord le dessus et le dessous, puis les côtés. Vous passez ensuite au doigt suivant.

La face interne du haut du bras,

Sur la face interne du haut du bras les points se succèdent en partant du haut du biceps pour descendre au milieu de la saignée.

1. Mettez le pouce gauche tout en haut du muscle du bras. Vos autres doigts entourent le bras. Pression intense (9 kg) de trois secondes. Pause.

2. Descendez de deux doigts au long du biceps et répétez cette même pression. Pause.

3. Continuez tout au long de cette ligne : pressions à deux doigts d'intervalle, jusqu'à la saignée.

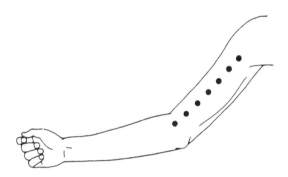

L'intérieur du coude

Pliez le bras droit au coude. Placez votre pouce gauche dans la petite cavité que vous sentirez entre les deux os du coin intérieur du coude. Ce point est d'une extrême sensibilité et porte le nom inexpliqué de « Petit Juif ». Lorsque vous le pressez, vous ressentez comme un choc électrique qui parcourerait votre bras du coude au bout du petit doigt.

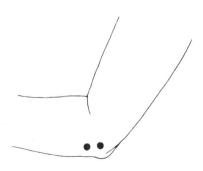

1. Pression intense (9 kg) de deux secondes. Pause.

2. Refaire deux fois cette pression.

3. Votre pouce s'éloigne d'un centimètre et demi du premier point, en direction du poignet. Pression intense (9 kg) de deux secondes. Pause.

4. Répétez deux fois cette pression.

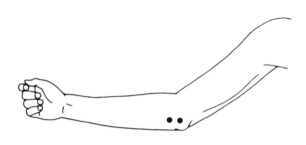

5. Tendez le bras. Cherchez le point sur la ligne du coude, à deux doigts de celui que vous venez de presser. Pression intense.

6. Refaites deux fois cette pression.

7. Descendez à un doigt d'écart en direction du poignet. Pression intense (9 kg) de deux secondes. Pause.

8. Répétez deux fois cette pression.

La face interne de l'avant-bras

Sur l'avant-bras, les points se suivent sur une ligne allant du **centre de la** saignée au milieu du poignet.

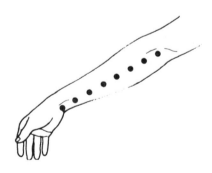

1. Posez le pouce gauche sous le centre de la saignée. Vos autres doigts entourent le bras. Pression intense (9 kg) de deux secondes. Pause.

2. Descendez de deux doigts sur la ligne droite, bissectrice de l'avant-bras. Pression intense de deux secondes. Pause.

3. Continuez au long de cette bissectrice de la face interne du bras, en laissant deux doigts d'écart entre les poin*s de pression jusqu'au milieu du poignet.

4. Répétez deux fois toute cette séquence.

La face interne du poignet

Il y a trois points à presser sur la face interne du poignet, qui suivent une ligne horizontale.

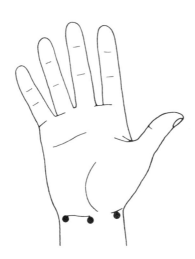

1. Placez le pouce gauche sur votre poignet droit, sous la base du pouce. Vos autres doigts entoureront le poignet. Trois secondes de pression modérée (7 kg). Pause.

2. Votre pouce se déplace au centre du poignet. Refaites la même pression. Pause.

3. A un doigt d'écart de ce deuxième point, refaites la même pression.

4. Répétez deux fois encore cette séquence.

La paume de la main

Quatre points doivent recevoir des pressions sur la paume de la main. Les trois premiers s'échelonnent entre la partie charnue de la paume et le bas du médius. Le quatrième point est au milieu du gras du pouce.

1. Mettez votre pouce sur le milieu de la partie charnue du bas de la paume. Vos autres doigts entourent le dos de la main. Pression intense (9 kg) de trois secondes. Pause.

2. Votre pouce appuie maintenant sur le milieu de la paume, en ligne droite au-dessus du point précédent. Même pression. Pause.

3. Votre pouce est à présent sur la partie charnue précédant le médius. Faites la même pression. Pause.

4. Amenez votre pouce sur le gras du pouce droit et refaites la même pression.

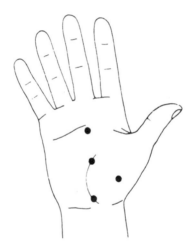

LE SHIATZU AVEC UN PARTENAIRE CONTRE LA TENDINITE DU COUDE

Les instructions qui vont suivre impliquent que l'on fasse les exercices chez soi, votre partenaire étendu sur une couverture pliée, posée à même le sol. Toutefois, les séquences peuvent être suivies ailleurs, votre partenaire s'appuyant contre un mur pour les trois séquences (épaules, haut de l'épine dorsale, omoplates). Ces exercices sont équilibrés de telle sorte qu'on peut les adapter à une personne assise sur une chaise.

Les épaules

Votre partenaire s'allonge sur le sol, face contre terre. Agenouillez-vous en arrière de sa tête, assez près pour que vous touchiez le haut de ses épaules sans avoir à étirer les bras. Le point de l'épaule se localise à trois ou quatre doigts du bas de la nuque. Il se trouve à côté de l'os protubérant du haut de l'épaule et légèrement en retrait.

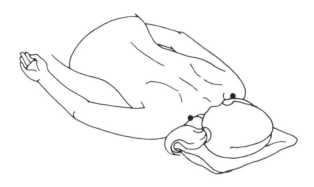

1. Allongez le bras gauche et tâtez du pouce le point de l'épaule droite. Posez le bout de votre pouce droit sur l'ongle du pouce gauche. Pression intense (9 kg) des deux pouces. Trois secondes. Pause.

2. Renouvelez deux fois cette pression.

3. Inversez les pouces et posez le droit sur le point correspondant de l'épaule gauche. Pression intense (9 kg) de trois secondes. Pause.

4. Recommencez deux fois cette pression.

Le haut de la colonne vertébrale

Installez-vous à califourchon au-dessus de votre partenaire, face à sa tête, vos pieds au niveau de ses hanches. Penchez le buste, en fléchissant les genoux, et mettez le pouce gauche tout à côté et à droite de l'épine dorsale, exactement sous la vertèbre protubérante du bas de la nuque. Posez le pouce droit à deux doigts du gauche, vers la droite et à la même hauteur.

1. Pression modérée (7 kg) des deux pouces durant trois secondes. Pause.

2. Descendez de deux doigts en ligne droite à côté de l'épine dorsale et répétez la pression des deux pouces. Pause.

3. Continuez à la droite de l'épine dorsale, en descendant de deux doigts d'intervalle entre les points, jusqu'à ce que vous soyez au niveau du milieu de l'omoplate.

4. Posez maintenant votre pouce droit au niveau de l'épaule à un doigt sur la gauche de l'épine dorsale, et votre pouce gauche à deux doigts de distance sur la gauche. Refaites la séquence (de 1 à 3) sur les points correspondants, du côté gauche de l'épine dorsale.

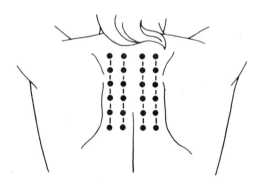

Les omoplates

Vous placez vos deux pouces côte à côte au milieu de l'omoplate droite, sous le bord de l'omoplate.

1. Pression modérée (7 kg) de trois secondes. Pause.

2. Renouvelez deux fois cette pression.

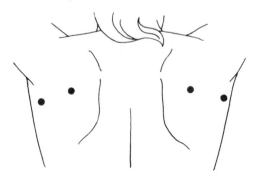

3. Ramenez vos pouces à un point situé à l'arrière de l'épaule, environ à trois doigts de l'aisselle. Pression modérée (7 kg) des deux pouces durant trois secondes. Dirigez la pression vers le haut, en direction du coin de l'épaule, et sur les os de l'articulation de l'épaule.

4. Refaites deux fois encore cette pression.

5. Recommencez la séquence (de 1 à 4) sur les points correspondants de l'omoplate gauche.

Les séquences qui vont suivre supposent que votre partenaire est droitier. S'il s'agit d'un gaucher, il va de soi que les pressions doivent s'appliquer sur le bras gauche.

L'aisselle

Votre partenaire se retourne sur le dos. Agenouillez-vous à sa droite et faites-lui tendre le bras droit. Enfoncez votre pouce droit sous son aisselle.

1. Pression intense (9 kg) de trois secondes.

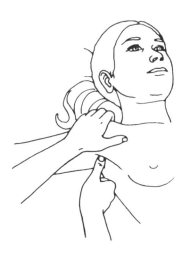

La face externe du haut du bras

Placez vos deux pouces l'un à côté de l'autre au milieu du haut du bras, à deux doigts du dessus de l'épaule. Entourez le bras de vos autres doigts.

1. Pression intense (9 kg) des deux pouces, durant trois secondes. Pause.

2. Descendez de deux doigts au milieu du bras, en direction du coude, et refaites la même pression. Pause.

3. Poursuivez les pressions sur le milieu du bras en laissant deux doigts d'écart entre les points, jusqu'à ce que vous arriviez au coude.

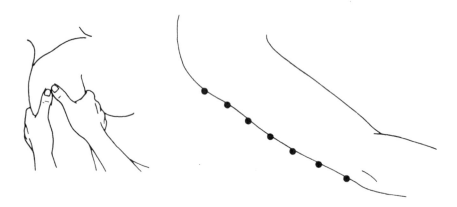

La partie extérieure du coude

Votre partenaire plie son bras droit au coude. Vous appuyez le pouce sur la cavité que vous sentirez entre les deux os de la pointe du coude.

1. Pression intense (9 kg) de trois secondes. Pause.

2. Répétez cette pression. Pause.

3. Répétez deux fois encore cette pression.

La face externe de l'avant-bras

Sur l'avant-bras, les points s'étagent sur une ligne droite allant de la pointe du coude au milieu du dessus du poignet.

1. Placez vos pouces l'un à côté de l'autre à côté de la pointe du coude, dans le léger creux qui sépare les os. Vos mains entourent le bras.

2. Pression intense (9 kg) des deux pouces durant trois secondes. Pause.

3. Descendez de deux doigts en longeant le muscle de l'avant-bras. Pression intense de trois secondes. Pause.

4. Continuez sur cette même ligne en laissant deux doigts d'écart entre les points, jusqu'au poignet. Le dernier point est au milieu du dessus du poignet.

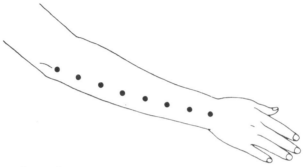

Le dessus du poignet

On compte trois points sur le dessus du poignet. Le premier sur le côté droit, le second au milieu, le troisième à gauche, à la base du·pouce. Tenez d'une main le poignet de votre partenaire et faites les pressions de l'autre, avec le pouce.

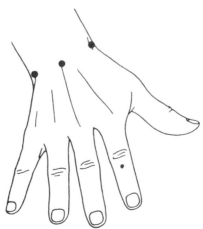

1. Posez le pouce sur le premier point. Pression modérée (7 kg) de trois secondes. Pause.

2. Posez votre pouce au centre du poignet et refaites la même pression. Pause.

3. Votre pouce pressant la base du pouce de votre partenaire, refaites la même pression. Pause.

4. Refaites deux fois cette séquence.

Le dos de la main

Sur le dos de la main, les points se situent dans les légères dépressions qui séparent les tendons, lesquels vont du poignet aux premières articulations des doigts. Demandez à votre partenaire d'écarter ses doigts en éventail.

1. Posez le pouce sur la petite protubérance musclée qui surmonte le creux formée au bas du pouce à sa jointure avec la main. Votre index serrera de l'autre côté de la main le point situé exactement en face de celui-ci, sur le gras du pouce.

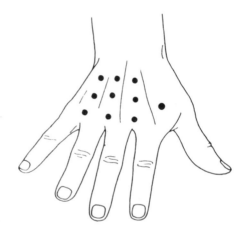

2. Serrez fort, pression intense (9 kg) de trois secondes. Pause.

3. Recommencez deux fois cette pression.

4. Votre pouce se place entre les tendons de l'index et du médius, à mi-chemin entre le poignet et les articulations. Pression modérée (7 kg).

5. Descendez un peu entre les tendons et répétez cette double pression du pouce et de l'index posé en face, dans le creux de la main. Vous la répétez sur deux points, en finissant entre les articulations.

6. Reprendre toute la séquence entre les tendons du médius et de l'annulaire puis entre ceux qui séparent l'annulaire du petit doigt.

Les doigts

Sur le pouce et sur chacun des doigts de votre partenaire, vous ferez des pressions en haut, en bas, et sur les côtés de chaque phalange, entre les articulations.

1. Saisissez le dessus et le dessous de la phalange supérieure du pouce de votre partenaire, entre le pouce et l'index. Pression modérée de vos deux doigts (7 kg) durant deux secondes. Pause.

2. Répétez cette double pression à la deuxième phalange.

3. Serrez les côtés de la première phalange entre le pouce et l'index. Répétez la même pression. Pause.

4. Même double pression sur les deux côtés de l'autre phalange, à côté de l'ongle du pouce.

5. Vous traiterez chaque doigt de votre partenaire de la même manière. Pressez sur les premières et deuxièmes phalanges de chaque doigt, d'abord en haut et en bas, puis sur les deux côtés, avant de passer au doigt suivant.

La face interne du haut du bras

Agenouillez-vous au niveau des hanches de votre partenaire, à un mètre environ, afin de pouvoir travailler son bras aisément, bras qui devra être tendu, paume en l'air, et écarté du corps. Les points suivent une ligne allant de l'aisselle à la saignée du coude, en suivant le muscle du bras.

1. Mettez vos pouces l'un à côté de l'autre tout en haut du muscle du bras. Vos mains entourent le haut du bras. Pression intense (9 kg) de deux secondes. Pause.

2. Descendez de deux doigts en restant au milieu du muscle, et refaites la même pression. Pause.

3. Continuez en ligne droite, en laissant deux doigts d'écart entre les points, jusqu'à ce que vous arriviez au milieu de la saignée.

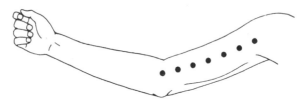

La saignée du coude

Faites replier légèrement le bras de votre partenaire au coude. Posez votre index et votre médius à l'intérieur de la pointe du coude, dans la cavité qui se trouve entre les deux os. C'est un point extrêmement sensible. Lorsque vous appuierez, votre partenaire ressentira une sorte de décharge électrique entre le coude et le petit doigt.

1. Pression intense (9 kg) de deux secondes. Pause.

2. Refaire deux fois la même pression.

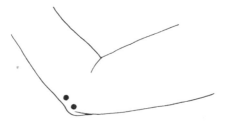

3. A un doigt de distance, sous ce premier point, en direction du poignet, faites une pression intense (9 kg) de deux secondes. Pause.

4. Refaire encore deux fois cette pression.

5. Tendez le bras de votre partenaire. Trouvez le point à presser, à un doigt d'écart en descendant, de celui que vous venez de presser. Pression intense (9 kg) de l'index et du médius pendant deux secondes. Pause.

6. Refaire cette pression à deux reprises.

7. Descendez d'un doigt en direction du poignet. Deux secondes de pression intense. Pause.

8. Refaire deux fois cette pression intense de deux secondes.

La face interne de l'avant-bras

Sur l'avant-bras, les points suivent une ligne droite qui part du milieu de l'aisselle et aboutit au milieu du poignet.

1. Posez vos pouces l'un à côté de l'autre, au milieu de la saignée, et tenez le bras de votre partenaire avec les autres doigts sur les articulations. Pression intense de deux secondes. Pause.

2. Descendez de deux doigts sur cette ligne, bissectrice de l'avant-bras. Pression intense de deux secondes.

3. Continuez jusqu'au poignet le long de cette bissectrice, en respectant l'écart de deux doigts entre les points. Le dernier se trouve sur le poignet.

4. Recommencez toute la séquence par deux fois.

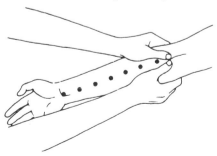

Le dessous du poignet

On compte trois points sur une ligne horizontale à la pliure du poignet.

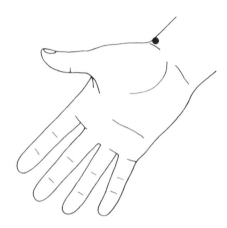

1. Votre pouce appuie à la base du pouce, à l'intérieur du poignet. Votre autre main tient la main de votre partenaire.

2. Pression modérée (7 kg) de trois secondes. Pause.

3. Amenez votre pouce au milieu du poignet et refaites la même pression. Pause.

4. Refaites cette pression à un doigt d'écart du point précédent.

5. Refaire deux fois encore toute la séquence.

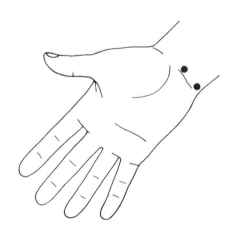

La paume de la main

Quatre points reçoivent des pressions sur la paume de la main. Les trois premiers s'alignent entre la partie charnue qui suit le poignet et celle qui précède le médius. Le quatrième point est au centre de la base du pouce.

1. Vos deux pouces se placent côte à côte au milieu de la partie charnue du bas de la paume. Pression intense des deux pouces (9 kg) durant trois secondes. Pause.

2. Descendez au milieu de la paume en droite ligne et répétez la pression. Pause.

3. Posez les pouces sur le renflement situé à la base du médius et répétez la pression précédente.

4. Vous appuyez maintenant sur la base du pouce. Même pression intense de trois secondes.

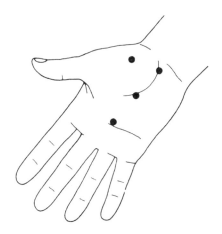

POSTFACE

J'aimerais vous parler encore du Shiatzu, mais la place me manque pour le faire. Vous possédez toutefois, désormais, l'explication complète de ses règles fondamentales. Suivez-les fidèlement, régulièrement, et vous vous porterez mieux ; vous paraîtrez plus jeune et votre vigueur s'en trouvera accrue.

Goseiko o inorimasu ! Bonne chance et bonne réussite !